Al fin y al cabo

A Follow-up to the "De cabo a rabo" Series

Actividades

David Faulkner

**Flashforward
Publishing**

Al fin y al cabo: Actividades
A Follow-up to the "*De cabo a rabo*" Series
Published by Flashforward Publishing
Boulder, CO

ISBN: 978-1-953825-05-6 (softcover)

FOREIGN LANGUAGE STUDY / Spanish

QUANTITY PURCHASES: Schools, companies, professional groups, clubs, and other organizations may qualify for special terms when ordering quantities of this title. For information, please contact the author through DavidFaulknerBooks.com.

Flashforward
Publishing

Querid@ estudiante,

As with the entire *De cabo a rabo* ("from beginning to end") series (*Gramática*, *Vocabulario*, *Actividades* and *Lectura*) and all the additional resources like crossword puzzles, vocabulary quizzes, comprehensive unit exams, and so much more, I wrote the *Al fin y al cabo* series (*Actividades* and *Relatos y análisis*) to meet the ongoing needs of my own personal students. As my students reached the end of *Unidad 30* in *De cabo a rabo*, all of them were convinced that they needed to go back and do it all over again. While I entertained this for a time, I also encouraged them to branch out and seek out other resources. I had my favorite recommendations and most of my students gave them a fair shot, but what they really wanted was more practice with my style of teaching, my style of activities, and that's how we got here. *Al fin y al cabo* ("when it was all said and done") is my answer to those requests. No matter how much you learn, there is always a next step. Now we can take that step together.

All the university professors, charter and private schools, private language institutes, independent tutors, and self-taught students all over the world who have supported my writing and entrusted their classes and their learning to my curriculum since 2017 now have an advanced course that piggybacks off of the curriculum style they already know and love.

I know my limitations, as I know the limitations of any one source of information, and this is why, no matter how much you invest in my curriculum, I know you will benefit greatly by actively seeking out as much authentic reading and audio input as you can get your eyes and ears on: books, newspapers, magazines, websites, movies, music, TV, friends, neighbors, and strangers. The world is your classroom! With that, I wish you good luck on your continued journey exploring the Spanish language, and remember: if you're not having fun, you're doing it wrong.

Un abrazo,

David

Spanish for the Love of It

SpanishfortheLoveofIt.com

De cabo a rabo

- ❏ *Vocabulario/Gramática*
- ❏ *Actividades*
- ❏ *Lectura*

Al fin y al cabo

- ❏ *Actividades*
- ❏ *Relatos y análisis*

All Site Members

- ❏ Crossword Puzzles + Solutions
- ❏ Vocabulary Quizzes
- ❏ Comprehensive Unit Tests
- ❏ Actividades Answer Keys

Student Membership Subscription*

- ❏ Vocabulario – Audio
- ❏ Vocabulario – Quizlet Flashcards
- ❏ Audiovisual Aids – hand selected, relevant by Unit
  - – Video Series   – Interviews   – Podcasts
  - – Music Videos   – Ted Talks
- ❏ Topical Articles from around the world
- ❏ Autodidact (self-teaching) tips
- ❏ Student Guide/Progress Checklist
- ❏ Our own Spotify Playlist
- ❏ Study Abroad Recommendations (not directly affiliated)
- ❏ And much more …

* Your ongoing support helps make future projects possible!

Co-op Members Subscription*

- ❏ Student Membership content included
- ❏ Lesson Planning support Unit by Unit
- ❏ Your school/tutoring service displayed on our website
- ❏ Possible student referrals to your school
- ❏ Share ideas with other co-op members
- ❏ Monthly Zoom Q&A session with the author of *De cabo a rabo*
- ❏ And much more …

*Your ongoing support helps make future projects possible!

Actividad #1

Para cada oración, escribe la mejor respuesta en el espacio en blanco.

1. Tengo dos bolsas de lona en mi _____.

    a. cartera   b. cajuela   c. desván   d. carne asada

2. Después de comprar todo lo que necesitaba, tenía $45 de _____.

    a. sobra   b. repente   c. descuento   d. verdad

3. En México, los _____ llevan puesta una máscara como parte de su disfraz.

    a. obreros   b. entrenadores   c. contadores   d. luchadores

4. Cuando cambias tus cheques en el banco, ¿qué _____ de billetes pides?

    a. cuenta   b. manera   c. clase   d. ración

5. ¿Te _____ de tu trabajo si no cumplieras con lo que te diga tu jefe?

    a. conducirían   b. saludarían   c. despedirían   d. acompañarían

6. _____ triste cuando vi a los niños mendigando por las calles.

    a. Me vi   b. Me puse   c. Me volví   d. Me estuve

7. Muchos peatones _____ los senderos nuevos.

    a. alzan   b. lamentan   c. aprovechan   d. aíslan

8. Los niñitos _____ cuando tienen sueño.

    a. conmueven   b. pasean   c. hunden   d. bostezan

9. El agua _____ por las grietas en el techo.

    a. gotea   b. entierra   c. comprueba   d. alivia

10. Las hienas _____ a su presa.

    a. han ronroneado   b. han rodeado   c. han encogido   d. han maldecido

Actividad #2

Llena cada espacio en blanco con la conjugación correcta en **el pretérito** del verbo entre paréntesis.

1. ¿_____ arreglar tu coche tú mismo o tuviste que llevarlo al mecánico? (poder)

2. Yo _____ la camioneta desde la Florida hasta California. (conducir)

3. No puedo comer postre, que esos tacos me _____. (satisfacer)

4. Mis tíos _____ fatal por tres semanas cuando contrajeron COVID-19. (sentirse)

5. ¿Cuándo _____ tú que mi sobrino iba a competir en la olimpiada? (saber)

6. El Sr. Anaya _____ ingeniero durante treinta y un años. (ser)

7. Vosotras _____ muy pronto, ¿no? (ir)

8. Yo _____ a competir profesionalmente cuando tenía diecisiete. (comenzar)

9. Marta y yo _____ casadas por siete años. (estar)

10. Los presos _____ su plan de huir mientras estaban en sus celdas. (concebir)

11. Los chicos no _____ aunque no tenían preservativos. (abstenerse)

12. Mi contadora _____ que gastara más para pagar menos impuestos. (proponer)

13. ¿Qué le _____ a tu papá cuando te preguntó eso? (decir)

14. Yo _____ el taxi la última vez que fuimos. Ahora te toca a ti. (pagar)

15. ¿Qué te _____ tu pareja por tu cumple este año? (dar)

16. Yo _____ el piano y Paco tocó el bajo eléctrico. (tocar)

17. La Sra. Fernández ya lo _____. (rehacer)

18. No sé qué me _____; fue algo inexplicable. (atraer)

19. No nos _____ las computadoras que heredamos. (servir)

20. Él _____ con el vino y yo con el tequila. (venir)

Actividad #3

Indica si los comentarios siguientes son absurdos o normales. Para los absurdos, a ver si puedes sustituir un vocablo para hacer el comentario normal.

	absurdo	normal
1. Me encanta que las mofetas apesten.		
2. Mi colega no se alimenta porque está entrenando para la carrera.		
3. El ladrón portaba una pistola, pero por suerte no la disparó.		
4. Pondremos nuestros zapatos en la secadora después de lavarlos.		
5. ¡Ay, no! Parece que hay un ave atrapada en el entretecho.		
6. Él no toma gaseosas porque no le gusta que lo hagan eructar.		
7. Mi hijo toca batería para la orquesta.		
8. Los líderes del club rotario promueven prácticas éticas.		
9. Entregué mi hoja de vida y ahora me toca una entrevista.		
10. Las clases grupales son mejores que las particulares.		
11. Mi tío es electricista para la Fuerza Aérea.		
12. Soy vegetariana, así que solo como vegetales, fruta y pescado.		
13. Mi sapo prefiere cenar moscas con jugo de toronja.		
14. No debes abrir la boca cuando estás enfadado o buceando.		
15. Han puesto las sobras en una caja para quedar.		
16. En el fútbol, el lanzador lanza la pelota y el cachador la cacha.		
17. Solo los ciudadanos pagan impuestos.		
18. Es una lástima que los niños no aprovechen la biblioteca.		
19. Mi hermana menor es muy tímida y por eso tiene tantas cuatas.		
20. La gobernadora cumplió con todas sus promesas de candidata.		
21. Mi hijo y mi nuera se casarán en esta iglesia en octubre.		
22. Mis padres están separados.		
23. Mis padrastros están divorciados.		
24. El primer ministro de Francia es guapo pero bobo.		
25. ¡Aguas! Hay un agujero en la banqueta.		
26. Mi profesora me cae bien porque es demasiado franca.		
27. Mi vecina coquetea con quienquiera que pase por aquí.		

Actividad #4

Para formar cada oración, cambia el orden de palabras y puntuación para que tenga sentido.

1. la soso por pásame favor que , sal caldo es este demasiado .

_____

2. ¿ piloto irías si adónde propio tu tuvieras helicóptero con ?

_____

3. son los para acuerdo pero están columpios el de uso , no todos comunitario .

_____

4. no pero prohibía quería lo calle tampoco que jugaran en la , se .

_____

5. perder se los que les electrónico por mándales correo documentos puedan para no .

_____

_____

6. de el trasladados hospital atentado treinta tras más heridos hubo al .

_____

7. los civilizaciones europeos había indígenas alcanzaron las múltiples cuando Américas ya .

_____

_____

8. libres un estaremos las tarde pasadas como 5:30 esta pájaro .

_____

9. coco poco como coco compro como , poco .

_____

10. tanto la ver ni que no odio la pintura quiero en .

_____

Para cada verbo conjugado, escribe el sujeto, el tiempo verbal, el modo y su infinitivo. Luego escribe una oración original utilizando el verbo conjugado en contexto.

1. **pusiesen**   sujeto _____   tiempo verbal _____

    infinitivo _____   modo _____

_____

2. **erais**   sujeto _____   tiempo verbal _____

    infinitivo _____   modo _____

_____

3. **saldremos**   sujeto _____   tiempo verbal _____

    infinitivo _____   modo _____

_____

4. **contradije**   sujeto _____   tiempo verbal _____

    infinitivo _____   modo _____

_____

5. **satisfagan**   sujeto _____   tiempo verbal _____

    infinitivo _____   modo _____

_____

6. **quepo**   sujeto _____   tiempo verbal _____

    infinitivo _____   modo _____

_____

7. **influyó**   sujeto _____   tiempo verbal _____

    infinitivo _____   modo _____

_____

Actividad #6

Lee la lectura siguiente y llena cada hueco con un verbo lógico de la forma más lógica según el contexto. ¡Ojo! Habrá múltiples posibilidades. La idea no es tener razón, sino explorar el uso del idioma y retarse.

Cuando mi despertador me despierta a las 6:00 de la mañana, lo _____ de inmediato para que no _____ a mi pareja. Yo _____ madrugar, pero él puede _____ muy molesto si no _____ al menos ocho horas. Bueno, después de _____, voy al baño para _____ los dientes enfrente del espejo y _____ el día que tengo por delante. Al terminar, yo _____ rápidamente y _____ de ropa sencilla ya que _____ por cuenta propia desde la comodidad de mi oficina casera.

No me _____ desayunar demasiado temprano así que me _____ nomás un cafecito con un poco de leche de almendra. Con café en mano, _____ a trabajar por un par de horas. Cuando mi pareja _____ de la cama, yo _____ mi trabajo y empiezo a _____ el desayuno para los dos. Él _____ jubilado así que no _____ prisa alguna en la mañana, pero eventualmente _____ de casa para _____ alguna que otra cosa con amigos. No sé cómo lo hace; yo _____ loco si no _____ un trabajo que me _____ la mente. A cada quien lo suyo, ¿verdad?

Cuando él _____ y me _____ solo en casa es cuando _____ de verdad en mi trabajo. Cuando no tengo que _____ de molestar a nadie, _____ conmigo mismo para _____ mis pensamientos y es cuando _____ mis mejores ideas. Si yo no _____ pasar a diario por lo menos cuatro horas a solas con mi trabajo, no _____ trabajar en casa. Tendría que _____ una oficina en algún lugar. _____ de no tener que hacerlo porque así _____ ese dinero y lo podemos _____ en cosas más importantes.

Actividad #7

Describe los términos siguientes en tus propias palabras para que un/a joven hispanohablante que desconociera el concepto pudiera imaginárselo.

1. una silla de ruedas: _____

_____

2. las enchiladas: _____

_____

3. un sapo: _____

_____

4. una chimenea: _____

_____

5. un árbol: _____

_____

6. el pan: _____

_____

7. un muñeco: _____

_____

8. una trompeta: _____

_____

9. una pelota: _____

_____

10. un pijama: _____

_____

Actividad #8

Completa la tabla con las formas indicadas del verbo *irse*.

el presente del indicativo   **el presente del subjuntivo**

_____ _____ | _____ _____

_____ _____ | _____ _____

_____ _____ | _____ _____

el imperfecto del indicativo   **el imperfecto del subjuntivo (ra)**

_____ _____ | _____ _____

_____ _____ | _____ _____

_____ _____ | _____ _____

el pretérito del indicativo   **el imperfecto del subjuntivo (se)**

_____ _____ | _____ _____

_____ _____ | _____ _____

_____ _____ | _____ _____

el futuro simple del indicativo   **el imperativo**

_____ _____ | _____

_____ _____ | _____

_____ _____ | _____

el condicional del indicativo   **el gerundio**   **el participio pasado**

_____ _____ | _____ _____

_____ _____ |

_____ _____ |

Todas las oraciones siguientes contienen por lo menos un error gramatical. Reescribe las oraciones corrigiendo todos los errores que identifiques.

1. No es que no quiero ir contigo; es que no tengo tiempo hoy.

_____

2. No contesté el teléfono cuando me llamaste porque estoy cocinando.

_____

3. Si tienes los manos sucios, debes lavártelos antes de preparar la comida.

_____

4. Mi mamá está contento porque su jefa acaba de darle un aumento de sueldo.

_____

5. Cuando yo fui niño, mi papá me llevó a la dulcería cada viernes.

_____

6. Me alegro de que has venido a visitarme.

_____

7. Mi hijo es enojado porque no lo dejo salir a jugar.

_____

8. Después de cenando, me cepillé los dientes.

_____

9. Empecé caminar a la tienda cuando me enteré de que estaba solo tres cuadras de aquí.

_____

10. La problema es que no tengo mi teléfono conmigo. ¿Me prestas la tuya?

_____

Actividad #10

Para cada verbo, escribe una preposición que lo deba/pueda acompañar y da un ejemplo original. ¡Ojo! En algunos casos, se puede usar más de una preposición sin que se cambie el significado, pero, por lo general, el cambiar preposiciones cambia bastante el significado del concepto.

1. asociarse _____ _____

_____

2. comprometerse _____ _____

_____

3. votar _____ _____

_____

4. entrar _____ _____

_____

5. contar _____ _____

_____

6. depender _____ _____

_____

7. dirigirse _____ _____

_____

8. marcharse _____ _____

_____

9. olvidarse _____ _____

_____

10. carecer _____ _____

_____

Actividad #11

Completa cada oración con una frase que tenga sentido.

1. Yo en tu lugar no compraría el carro más costoso, aunque _____

_____

2. Voy a juntar todo el equipo que necesito para nuestro viaje a las montañas, así que _____

_____

3. Si mi mamá te llama preguntando por mí, dile que _____

_____

4. Cuando mi jefa entró esta mañana, yo estaba seguro de que me regañaría porque anoche _____

_____

5. Mis hijos no me hicieron caso anoche en la fiesta, entonces _____

_____

6. Cuando me desperté esta mañana, me asustó que _____

_____

7. Creo que mi computadora tiene un virus porque cada vez que yo _____

_____

8. Mi suegro me regaló un telescopio nuevo y me da mucha pena tener que decirle que _____

_____

9. Te apuesto a que Manolo llega tarde a la cita hoy porque _____

_____

10. Cuando mi hermanito tenía cuatro años, me daba mucha risa porque cada noche _____

_____

Actividad #12

Hagamos poesía. Termina cada estrofa con un verso acorde con la rima indicada. Ni tú ni yo somos Pablo Neruda así que no te preocupes de escribir algo profundo. Nomás diviértete.

1. De ahora en adelante (A)
   Me acostaré tempranito (B)
   Para que ese pajarito (B)

   _____ (A)

2. Si no me haces caso (A)
   Cuando lleguemos a El Paso (A)
   Le avisaré a tu madre (B)

   _____ (A)

3. Me tratan con simpatía (A)
   Pero a veces me parecen bobos (B)
   Si no fuera por la cofradía (A)

   _____ (B)

4. No lo toques, mija (A)
   Deja que él lo elija (A)
   Si metes la manita (B)
   Y espantas a la ranita (B)

   _____ (A)

5. Dando diagnosis dos doctores (A)
   Descubren distintos dolores (A)
   Dependiendo de deudas (B)
   Dejan demasiadas dudas (B)

   _____ (A)

6. Pase lo que pase (A)
   No le digas que no (B)
   Y si te da la clase (A)

   _____ (B)

Actividad #13

Es tiempo de "*Mad Libs*". Sin leer de antemano las historias a continuación, escribe dos distintas palabras creativas e interesantes que cumplan con la gramática indicada para cada número. Luego lee las historias, introduciendo las palabras que hayas escrito en los espacios correspondientes.

	Historia A	Historia B
1. Nombre de pila masculino	_____	_____
2. Verbo de acción (infinitivo)	_____	_____
3. Sustantivo masculino plural	_____	_____
4. Adjetivo masculino plural	_____	_____
5. Verbo de acción (infinitivo)	_____	_____
6. Nombre de pila femenino	_____	_____
7. Verbo de acción (infinitivo)	_____	_____
8. Adverbio	_____	_____
9. Adjetivo femenino singular	_____	_____
10. Verbo de acción (infinitivo)	_____	_____

Historia A:

_____1_____ se levantó muy tempranito aquel sábado porque quería _____2_____ un par de _____3_____ viejos y _____4_____. Cuando los encontró, él decidió _____5_____ los con su mejor amiga, _____6_____, pero resultó que ella prefería _____7_____ muy _____8_____. Cuando _____1_____ se dio cuenta de que _____6_____ era tan _____9_____, no le quedó más remedio que _____10_____ la.

Historia B:

No sé por qué _____1_____ no puede simplemente cooperar con los demás. Es que él insiste en _____2_____ solo. Los _____3_____ que odia son _____4_____ y según él, van a _____5_____ si nos encargamos de ellos. _____6_____, del departamento de _____7_____ cree _____8_____ que la única forma de tratar a _____1_____, es con acción _____9_____, y si eso no funciona bien, tendremos que _____10_____ lo de una vez por todas.

Actividad #14

Reescribe las oraciones siguientes cambiando la voz activa por la voz pasiva: una vez usando "ser" y otra vez usando el "se pasivo". Sigue el modelo.

1. Una civilización antigua construyó las pirámides hace más de mil años.

(ser) Las pirámides fueron construidas (por una civilización antigua) hace más de mil años.

(se) Las pirámides se construyeron hace más de mil años.

2. Los perros comieron todas las sobras de la fiesta.

(ser) _____

(se) _____

3. El viento cerró la puerta de golpe.

(ser) _____

(se) _____

4. Los cocineros aquí preparan toda la comida con mucha sal.

(ser) _____

(se) _____

5. Alguien arregló las computadoras el semestre pasado.

(ser) _____

(se) _____

6. En esta casa, mis tíos siempre hacen cada comida con muchos vegetales.

(ser) _____

(se) _____

Actividad #15

Propón al menos dos adjetivos para describir la **cosa** de cada situación.

1. Un **día** libre con tu mejor amigo/a: _____

2. Una **bebida** fría en un día caluroso: _____

3. Un par de zapatos viejos: _____

4. El valle que ves por primera vez desde la cima de la montaña: _____

5. El nuevo cachorro que tu amigo/a acaba de adoptar: _____

6. Una pareja viejita andando de la mano por la playa: _____

7. Un suéter que tu jefe/a lleva puesto a la fiesta de Navidad: _____

8. Un lobo solitario que ves a lo lejos en un parque nacional: _____

9. La casa donde creciste: _____

10. Una foto de una pradera de flores: _____

11. Tu sobrina recién nacida bien dormida en su cuna: _____

12. El nuevo peinado de tu hermana: _____

13. Un tornado que ves arrasar el granero de tu vecino: _____

14. Basura flotando por el riachuelo: _____

15. Una cucaracha que ves en el suelo de tu cocina: _____

16. Un café perfecto: _____

17. Un incendio quemando el bosque: _____

18. Un ciervo muerto en el margen de la autopista: _____

19. Un correo electrónico de tu jefe/a un sábado: _____

20. Un volante que alguien ha dejado debajo de tu limpiaparabrisas: _____

Actividad #16

Parafrasea cada cita directa con una cita indirecta. Toma en cuenta el tiempo verbal, la persona y cualquier otra palabra que indique tiempo (anoche, mañana) o espacio (aquí, ese). Sigue el modelo.

1. "No tengo tiempo hoy, David".

   Le **dijo** a David que _no tenía tiempo aquel día._

2. "Ella y yo no vamos a poder ir hasta mañana".

   Me **dijiste** que _____

3. "Yo nunca he ido a Europa".

   Te **dije** que _____

4. "No me siento muy bien".

   Él siempre **dice** que _____

5. "Pienso que ellos tendrán que esperar una semana".

   Pensé que _____

6. "Por favor, señores, siéntense allí".

   Ella nos **está** diciendo que _____

7. "Si vosotros no queréis hacerlo, pues no lo hagáis".

   Nos **dijo** que _____

8. "Abel, llévatelo si tanto lo deseas".

   Le **dijo** a Abel que _____

9. "¿Habrás terminado el reporte antes del próximo fin de semana?"

   Me **preguntó** (que) si _____

10. "¿Dónde estabas cuando te llamé?"

    Me **preguntaste** (que) _____

Actividad #17

Tú o vos. Completa la tabla con la forma de segunda persona singular que falte. ¡Ojo! Solo se diferencian el uno del otro en el **presente del indicativo** y las **formas afirmativas del imperativo**.

tú	**vos**
1. puedes	_____
2. _____	tenés
3. vives	_____
4. siéntate	_____
5. fuiste	_____
6. _____	pedís
7. _____	eras
8. pásamela	_____
9. _____	comelo
10. hablarás	_____
11. juegas	_____
12. vas	_____
13. ve (ir)	_____
14. ve (ver)	_____
15. _____	sos
16. _____	conseguís
17. vuelve	_____
18. prefieres	_____
19. _____	hacé
20. _____	comé

Este diálogo entre dos cuates NO está en orden. En las páginas siguientes, reescríbelo en orden.

Pues junté toda la ferretería, pegamento, madera y todo para asegurarme de que no me faltara nada.

¿Por cuánto tiempo hay que dejar que el pegamento se seque?

Se seca bien como para tocarlo en unas horas, pero lo dejé en el garaje por una semana para que los vapores se disiparan. Y bien, instalé las cajas, introduje los estantes con tacos, monté las puertas y les fijé las manijas.

Es bastante trabajo, pero qué orgullo debes de sentir al acabar un proyecto así.

Ah, sí, me dijiste que ibas a instalar gabinetes nuevos en la cocina, ¿verdad?

Tranquilo, compa. Dame tiempo, que necesito un par de semanas para recuperar las ganas. Ja, ja, ja.

Sí, pero todo empezó en el garaje.

¿Qué tienes que hacer para llevar a cabo un proyecto así?

No, en realidad, todo empezó con un recorrido a la ferretería para comprar la mayoría de esas cosas.

Nada en especial. ¿Qué me cuentas tú?

¿Qué tal el próximo fin de semana?

Luego, mientras el pegamento de las cajas se secaba, yo corté y lijé los estantes y puertas y al final pinté las puertas y las dejé secarse. Mientras se secaba la pintura, yo enmarqué en las paredes de la cocina exactamente dónde quería instalar los gabinetes.

Ah, *okay*. Tiene sentido.

Me encantaría verlos un día de estos. Y quizá algún día podríamos trabajar juntos en un proyecto así. Me gustaría que me enseñaras un poco.

¿Qué onda, paisano?

¿Usas anteojos protectores cuando operas herramientas eléctricas?

Claro que sí. Sería bien divertido.

¿Y ya tenías de antemano todo eso en tu garaje?

¿Cómo que cinco partes?

Normalmente lo dejo por 24 horas, pero con los clavos, no hace falta. Es nomás una precaución.

¡Claro que sí! No vale la pena arriesgarse a perder un ojo, un dedo o algo peor. Bueno, cuando acababa de cortar toda la madera para las cajas, lijé los extremos con papel de lija y luego hice múltiples huecos en los costados con mi taladro eléctrico para luego poder introducir los tacos que soportarían los estantes. Luego monté las cajas, uniendo las cinco partes con pegamento y clavos.

¿Luego qué?

Sigo con los mismos proyectos caseros.

¿Y cuándo se había secado todo…?

Bueno, al juntar todo, puse manos a la obra. Medí todo dos veces, marcando en la madera con lápiz por dónde cortar. Luego corté la madera para las cajas usando mi sierra de mesa.

Eso sí que es. Ahora, cada vez que abra una de esas puertas para sacar un tazón o un vaso, sentiré el mismo orgullo que sentí al terminar el proyecto.

Una vez seco el pegamento, les di a las cajas y a los estantes una capa de barniz transparente para preservar la madera y una vez seca la pintura de las puertas, usé el taladro para perforar dos agujeros en cada puerta para luego fijar las manijas, y luego armé las puertas con bisagras.

Ay, perdón. Es que la caja consiste en los dos costados verticales, la parte superior, la parte inferior y el fondo. Luego lo único que falta son los estantes interiores y las puertas.

¿Y el barniz, cuánto tiempo tarda en secarse?

Irving: _____

Manolo: _____

Irving: _____

Manolo: _____
_____

Irving: _____

Manolo: _____

Irving: _____
_____

Manolo: _____

Irving: _____
_____

Manolo: _____

Irving: _____
_____
_____

Manolo: _____

Irving: _____
_____
_____
_____

Manolo: _____

Irving: _____

_____

Manolo: _____

Irving: _____

Manolo: _____

Irving: _____

_____

_____

Manolo: _____

Irving: _____

_____

_____

_____

Manolo: _____

Irving: _____

_____

_____

Manolo: _____

_____

Irving: _____

_____

Manolo: _____

_____

Irving: _____

Manolo: _____

Irving: _____

_____

Actividad #19

Para cada oración, escribe la mejor palabra en el espacio en blanco.

1. La bata y los cortos son _____ de vestir. símbolos / artículos / prendas / monedas

2. La sartén y la olla son _____. cubiertos / trastes / medidas / quehaceres

3. Guardo los vegetales en el _____. guardarropa / fregadero / secador / refrigerador

4. Mis juguetes favoritos eran las _____. mangueras / muñecas / maderas / bañeras

5. Las películas de terror me dan _____. risa / palomitas / escalofríos / pepinillos

6. Pagan _____ a sus ancestros. cuentas / tributo / conejos / habichuelas

7. No se debe pescar en este _____. deslave / zacate / pasillo / riachuelo

8. Le dimos al mesero una buena _____. paliza / cobija / propina / caricia

9. Los únicos cobertores aquí son _____. paletas / mestizos / tapetes / sábanas

10. No es lluvia sino _____. granizo / permiso / temporada / renacuajo

11. Coloqué todo en _____ del coche. la maleta / el maletín / el maletero / la mano

12. _____ todas las bonitas plantas de la casa. aguanto / arriesgo / riego / niego

13. Mi tía no es la hermana de mi papá sino la _____ de mi tío. esposa / suegra / nuera / tía

14. Tienen lavadora en el _____. lavaplatos / lavadero / lavamanos / lavarropa

15. Me resbalé porque no había leído la _____. advertencia / sugerencia / sentencia

16. Los _____ de patio son de metal. monstruos / muebles / manicomios / mapaches

17. El anillo es de _____; vale muchísimo. plata / platino / cobre / diamante

18. Es muy _____; tiene muchos talentos. metiche / celoso / exigente / hábil

19. Los _____ comen calamares gigantes. tiburones / búhos / cachalotes / guepardos

20. No debemos _____ allí; la tierra es estéril. cosechar / sembrar / hurgar / acudir

Actividad #20

Para cada oración, escoge o *ser*, *estar* o *haber* según el contexto y escribe tu respuesta en el hueco

1. La casa nueva _____ allí en la esquina. (será / estará / habrá)

2. _____ una casa nueva allí en la esquina. (será / estará / habrá)

3. La ubicación de la casa nueva _____ allí en la esquina . (será / estará / habrá)

4. _____ un terremoto en Chile. (fue / estuvo / hubo)

5. _____ un terremoto lo que sentiste. (fue / estuvo / hubo)

6. ¿Dónde _____ la clase cuando entraste en el salón ayer? (era / estaba / había)

7. ¿Dónde _____ la clase antes de que cambiaran el sitio? (era / estaba / había)

8. ¿_____ clases durante la construcción? (fueron / estaban / había)

9. Los edificios hechos en los años 80 _____ de metal y cemento. (eran / estaban / había)

10. Los edificios de los años 80 _____ hechos de metal y cemento. (son / están / hay)

11. _____ edificios hechos de metal y cemento en los años 80. (eran / estaban / había)

12. _____ muertos todos los individuos cuando llegué al lugar. (eran / estaban / había)

13. _____ muertos por todas partes cuando llegué al lugar. (eran / estaban / había)

14. _____ individuos muertos lo que vi cuando llegué al lugar. (eran / estaban / había)

15. _____ muchos muebles. _____ feos y _____ por todas partes. (son / están / hay)

16. Esa persona allí parece _____ perdida. (ser / estar / haber)

17. Parece _____ una persona perdida allí. (ser / estar / haber)

18. Lo que veo parece _____ una persona perdida. (ser / estar / haber)

19. Entre los incidentes, muchos _____ crímenes. (fueron / estuvieron / hubo)

20. Entre los incidentes, _____ muchos crímenes. (fueron / estuvieron / hubo)

Actividad #21

Para cada oración, escribe la mejor respuesta en el espacio en blanco.

1. Se llevan todos en el verano excepto _____.

    a. una bufanda   b. unas chanclas   c. una camiseta   d. unos cortos

2. Todos son acciones de béisbol menos _____.

    a. derrapar   b. lanzar   c. atrapar   d. patear

3. Todos trabajan directamente con alimentos menos _____.

    a. los granjeros   b. los nutricionistas   c. los camareros   d. los cocineros

4. Un chaleco de traje puede tener todos excepto _____.

    a. botones   b. bolsillos   c. mangas   d. costuras

5. La economía capitalista cuenta con todos menos _____.

    a. la expansión   b. la inmigración   c. la pobreza   d. la bolsa de valores

6. Para protegerse jugando al *hockey*, merece la pena llevar todos excepto _____.

    a. los patines   b. los protectores   c. un casco   d. un protector bucal

7. Todos son comandos computacionales menos _____.

    a. copiar   b. pegar   c. guardar   d. chatear

8. Todos pueden ser delitos en EE. UU. menos _____.

    a. el chantaje   b. el soborno   c. la demanda   d. el acoso

9. Todos tienen doctorado médico menos _____.

    a. el dermatólogo   b. el ortopedista   c. la neumóloga   d. la asociada médica

10. Todos son partes de una flor excepto _____.

    a. las hojas   b. el tallo   c. los pedales   d. las raíces

Actividad #22

Llena cada espacio en blanco con la conjugación correcta en **el modo imperativo** (tú, Ud. o Uds.) del verbo entre paréntesis.

1. Sr. de Anda, _____ asiento aquí por favor. (tomar)

2. Eva, _____ mucho durante tu viaje. (cuidarse)

3. Doctores, no _____ de hombros; tiene que haber una solución. (encogerse)

4. Sra. Peña, no _____ de tomar su medicina cada mañana. (olvidarse)

5. Abuelito, _____ conmigo al parque. Quiero mostrarte algo. (venir)

6. Sancho, _____ más responsable con tu teléfono, que es muy costoso. (ser)

7. Ricardo, Juanito, _____ de aquí, que no queremos más bronca. (largarse)

8. Señoritas Meléndez, _____ atención o las mandaré a la dirección. (poner)

9. Amigos, _____ todas sus ideas para nuestra reunión mañana. (traerme)

10. Alonzo, _____ prisa, que nuestra cita es en quince minutos. (darse)

11. Maricarmen, _____. (abstenerse)

12. Sr. Alomar, _____ por aquí y Gloria lo ayudará enseguida. (pasar)

13. Candelario, _____ si quieres, pero no cambiaré de opinión. (reírse)

14. Sra. Durán, por favor no _____ fotos con *flash* dentro de la catedral. (sacar)

15. Santos, Roberto, _____ al súper si quieren, pero no compren chatarra. (ir)

16. Señores Zapata, _____ la bondad de esperar aquí por favor. (tener)

17. Damas y caballeros, _____ de abrocharse, que habrá turbulencia. (asegurarse)

18. Davidcito, _____ una mano a tu abuelita. (echarle)

19. Srta. Ortiz, no _____ de los pormenores, que ya me encargo. (preocuparse)

20. Sr. Hidalgo, no _____ antes de que le revisen los signos vitales. (salir)

Actividad #23

Indica si crees que los consejos siguientes son buenos o malos. Para los malos, cambia el "no" por "sí" y viceversa para hacerlos buenos y, claro, para practicar la construcción de los mandatos.

buen consejo mal consejo

1. No te laves las manos antes de cenar. _____ _____

2. No te pongas las pilas; espera a que el mundo te dé todo. _____ _____

3. No le hagáis caso a vuestro jefe. _____ _____

4. No le pegues a tu hermanita. _____ _____

5. No acudas a la cita que tú mismo programaste. _____ _____

6. En caso de incendio, permanezcan sentaditos. _____ _____

7. Hablen a gritos en el cine durante las escenas de suspenso. _____ _____

8. Maltrata a los animales en cautiverio. _____ _____

9. Vierte tu sopa al suelo si no te apetece. _____ _____

10. Hazles caso a tus papás. _____ _____

11. No mendigues por lo que no merezcas. _____ _____

12. No luches por lo que merezcas. _____ _____

13. Arrojen los anacardos por todas partes de la cafetería. _____ _____

14. No felicites a tus amistades por sus cumples. _____ _____

15. No temas fracasar. _____ _____

16. No se estiren los músculos sin primero calentarse. _____ _____

17. En caso de emergencia, no hagan nada y no ayuden a nadie. _____ _____

18. No eches ninguna comida a la basura. _____ _____

19. Acueste a su recién nacido boca arriba sin juguetes ni mantas. _____ _____

20. No le dé de comer mucho azúcar a su niñito. _____ _____

21. No tengas fe en que tus hijos hagan lo correcto. _____ _____

22. No hagas bien sin mirar a quien. _____ _____

23. Échale ganas a todo lo que hagas. _____ _____

24. Filma a tus vecinos sin que se enteren. _____ _____

25. Deje que sus niñitos miren la tele todo el día. _____ _____

26. No cubras tu tos en lugares públicos. _____ _____

27. Barran los trastes y empapen los muebles antes de las 5:00. _____ _____

Para formar cada oración, cambia el orden de palabras y puntuación para que tenga sentido.

1. que puesto a despidan mi, pero quieren me hacer voy a renuncie que .

_____

2. la intravenoso suero cirugía , te para darán un medicinal antibiótico en el .

_____

3. se redes en sociales contacto las través mantienen a de .

_____

4. pasear mi hallar correa a perro , pude pero su no quería .

_____

5. niños llevar los fáciles ponerse son manoplas suelen porque más de .

_____

6. cinco de uno de escribir oraciones un hemos ensayo párrafos de cinco cada .

_____

7. me cuando duele la duele garganta cuando toso y toso me la garganta .

_____

8. el de día fútbol pesas levantan equipo cada , los pero jugadores los entrena miércoles solo .

_____

9. el consta un investigación proyecto un informe de y poco requiere presentación una y de .

_____

_____

10. se estampillas oficina en pueden las cualquier comprar la de supermercado correos o en .

_____

_____

Para cada verbo conjugado, escribe el sujeto, el tiempo verbal, el modo y su infinitivo. Luego escribe una oración original utilizando el verbo conjugado en contexto.

1. **acabábamos**   sujeto _____   tiempo verbal _____

   infinitivo _____   modo _____

_____

2. **hubieran sido**   sujeto _____   tiempo verbal _____

   infinitivo _____   modo _____

_____

3. **pudo**   sujeto _____   tiempo verbal _____

   infinitivo _____   modo _____

_____

4. **se marearían**   sujeto _____   tiempo verbal _____

   infinitivo _____   modo _____

_____

5. **anduve**   sujeto _____   tiempo verbal _____

   infinitivo _____   modo _____

_____

6. **deberá**   sujeto _____   tiempo verbal _____

   infinitivo _____   modo _____

_____

7. **tuerzo**   sujeto _____   tiempo verbal _____

   infinitivo _____   modo _____

_____

Actividad #26

Llena el espacio en blanco con la conjugación más apropiada de las opciones entre paréntesis.

Hace ya varios años, mis amigos y yo _____ (fuimos/íbamos) una noche al parque para jugar a las escondidas en la oscuridad. La luna _____ (estuvo/estaba) llena y el viento _____ (silbó/silbaba) entre los muchos árboles que _____ (estuvieron/estaban) esparcidos por todo el parque. Me _____ (tocó/tocaba) a mí primero contar y atrapar a los demás jugadores y cuando _____ (cerré/cerraba) los ojos y me _____ (puse/ponía) a contar, los demás se _____ (escondieron/escondían). Cuando _____ (terminé/terminaba) de contar y _____ (abrí/abría) los ojos, _____ (vi/veía) que yo _____ (estuve/estaba) completamente solo en medio de la nada. No _____ (hubo/había) ni árboles ni parque ni nadie. Hasta la luna _____ (hubo/había) desaparecido. Yo _____ (empecé/empezaba) a sentir pánico, pero luego, _____ (pensé/pensaba) que _____ (debí/debía) estar soñando y que pronto _____ (fui/iba) a despertarme. Pero, ya varios años después, sé que me _____ (equivoqué/equivocaba) y por eso, me _____ (resigné/resignaba) a escribir en la tierra con mis dedos cuentos tontos para algún día ayudar a los estudiantes a practicar el uso del pretérito e imperfecto en una clase de gramática española avanzada.

Actividad #27

Describe los términos siguientes en tus propias palabras para que un/a joven hispanohablante que desconociera el concepto pudiera imaginárselo.

1. un televisor: _____

_____

2. rosado: _____

_____

3. un zoológico: _____

_____

4. una engrapadora: _____

_____

5. durante: _____

_____

6. una peluquería: _____

_____

7. la higiene: _____

_____

8. un/a miembro: _____

_____

9. siguiente: _____

_____

10. una manga: _____

_____

Actividad #28

Completa la tabla con las formas indicadas del verbo *estar*.

el presente del indicativo   **el presente del subjuntivo**

_____ _____ | _____ _____

_____ _____ | _____ _____

_____ _____ | _____ _____

el imperfecto del indicativo   **el imperfecto del subjuntivo (ra)**

_____ _____ | _____ _____

_____ _____ | _____ _____

_____ _____ | _____ _____

el pretérito del indicativo   **el imperfecto del subjuntivo (se)**

_____ _____ | _____ _____

_____ _____ | _____ _____

_____ _____ | _____ _____

el futuro simple del indicativo   **el imperativo**

_____ _____ | _____

_____ _____ | _____ _____

_____ _____ | _____ _____

el condicional del indicativo   **el gerundio**   **el participio pasado**

_____ _____ | _____ _____

_____ _____ |

_____ _____ |

Todas las oraciones siguientes contienen por lo menos un error gramatical. Reescribe las oraciones corrigiendo todos los errores que identifiques.

1. Me da mucha pena que no tienes confianza en mí.

_____

2. Fui cansado cuando regresé a casa ayer porque había trabajado bien duro.

_____

3. Mi hijo quería mi teléfono y le lo di para que no armó un escándalo en público.

_____

4. Si yo me encontré en tu situación, no me rendiría tan fácilmente.

_____

5. No tócame o te arrepentirás lo.

_____

6. Fui a ver mi amigo's partido anoche.

_____

7. No puedo comer mi sopa porque yo falto una cuchara.

_____

8. Yo me probé las pantuflas, pero no los compré porque no estaban cómodo.

_____

9. Me gusta corriendo por el arroyo, pero no me gusta los mosquitos.

_____

10. Mi amigo fue el sábado, pero yo no fui hasta el próximo día.

_____

Actividad #30

Para cada verbo, escribe una preposición que lo deba/pueda acompañar y da un ejemplo original.
¡Ojo! En algunos casos, se puede usar más de una preposición sin que se cambie el significado,
pero, por lo general, el cambiar preposiciones cambia bastante el significado del concepto.

1. asegurarse _____   _____

_____

2. recurrir _____   _____

_____

3. enamorarse _____   _____

_____

4. sentarse _____   _____

_____

5. pensar _____   _____

_____

6. unirse _____   _____

_____

7. apoderarse _____   _____

_____

8. involucrarse _____   _____

_____

9. salir _____   _____

_____

10. casarse _____   _____

_____

Actividad #31

Completa cada oración con una frase que tenga sentido.

1. No dejes que tu compañero de cuarto nos acompañe porque _____

_____

2. Si tu vecina se entera de que tú has estado hablando conmigo, _____

_____

3. Cuando el detective te pregunte dónde estuviste aquella noche, dile que _____

_____

4. No creo regresar a mi trabajo el lunes porque el viernes pasado mi jefe _____

_____

5. Estoy desesperado y si no consigo el dinero que le debo, _____

_____

6. No voy a volver a ese parque jamás porque la última vez que fui _____

_____

7. Allí estaban los niños, jugando en el cajón de arena, cuando de repente _____

_____

8. No me atreví a decirle la verdad porque ella ya había _____

_____

9. Temo confesarte que, cuando me viste ayer en el supermercado, _____

_____

10. Te suplico que le des otra oportunidad de _____

_____

Actividad #32

Hagamos poesía. Termina cada estrofa con un verso acorde con la rima indicada. Ni tú ni yo somos Pablo Neruda así que no te preocupes de escribir algo profundo. Nomás diviértete.

1. "Verónica" la vaca (A)
   Fue la burla de casi todos (B)
   Excepto de la alpaca (A)

   _____ (B)

2. Cuando se trata de ti (A)
   A mí me da lo mismo (B)
   Cuando se trata de mí (A)

   _____ (B)

3. A cada quien lo suyo (A)
   Incluso a ti lo tuyo (A)
   Pero basta con falsas virtudes (B)

   _____ (A)

4. Tati toca tres tambores (A)
   Mari mima mis mejores (A)
   Cati quiso con colores (A)

   _____ (A)

5. Yesenia Vega andaba descalza (A)
   Por llanuras y montañas (B)

   _____ (A)

   Y cuando una vez le dieron (C)
   Un par de chanclas entendieron (C)

   _____ (A)

6. La muerte de mi abue (A)
   Por mucho que la ame (A)
   No me dejará (B)

   _____ (A)

Actividad #33

Es tiempo de "*Mad Libs*". Sin leer de antemano las historias a continuación, escribe dos distintas palabras creativas e interesantes que cumplan con la gramática indicada para cada número. Luego lee las historias, introduciendo las palabras que hayas escrito en los espacios correspondientes.

		Historia A	Historia B
1.	Lugar de género masculino	_____	_____
2.	Verbo de acción (infinitivo)	_____	_____
3.	Parentesco singular	_____	_____
4.	Verbo de acción (gerundio)	_____	_____
5.	Verbo de acción (infinitivo)	_____	_____
6.	Verbo de acción (infinitivo)	_____	_____
7.	Adjetivo femenino singular	_____	_____
8.	Verbo de acción (infinitivo)	_____	_____
9.	Adverbio	_____	_____
10.	Adjetivo singular sin género	_____	_____

Historia A:

Rubí fue al _____1_____ para _____2_____. Cuán grande fue su sorpresa cuando llegó y encontró a su _____3_____ en medio de todo, _____4_____. Rubí no lo podía creer porque cada vez que le preguntaba a su _____3_____ si quería _____5_____ con ella, siempre respondía que no podía porque tenía que _____6_____. Pues Rubí se puso _____7_____, y empezó a _____8_____ pero muy _____9_____ y dejó a su _____3_____ _____10_____.

Historia B:

En el _____1_____, el Sr. Trujillo decidió _____2_____ con su _____3_____ pero no sabía que estaba _____4_____ y que no le interesaba _____5_____ ni _____6_____, mucho menos atreverse a _____2_____. Así que su _____3_____ agarró una cosa _____7_____ y la intentó _____8_____, pero que muy _____9_____. Y cuando lo hizo, el Sr. Trujillo se puso tan _____10_____ que nunca volvió a hablarle más.

Actividad #34

Reescribe las oraciones siguientes cambiando la voz activa por la voz pasiva: una vez usando "ser" y otra vez usando el "se pasivo".

1. La gente come ratas en ese país.

(ser) _____

(se) _____

2. Los empleados del hotel hacen las camas cada día.

(ser) _____

(se) _____

3. Ellos servían las margaritas con sal.

(ser) _____

(se) _____

4. Los profesionales exterminaron los bichos con químicos.

(ser) _____

(se) _____

5. La humedad estropeó la obra de arte.

(ser) _____

(se) _____

6. Oyes muchos idiomas en el aeropuerto.

(ser) _____

(se) _____

Actividad #35

Propón al menos dos adjetivos para describir la **cosa** de cada situación.

1. La **muerte** de un árbol enfermo: _____

2. Una **computadora** que no guardó tu reporte: _____

3. Una nueva oportunidad laboral: _____

4. Amparo en una tormenta: _____

5. Un cóndor herido: _____

6. Un dragón que aterroriza al pueblo: _____

7. Tu serie favorita de la tele: _____

8. Un libro empapado en agua: _____

9. Un vestido blanco manchado por vino: _____

10. Un pan seco y duro: _____

11. Un letrero que dice "cerrado": _____

12. Una persona que siempre se queja cuando pierde: _____

13. Un fallo desfavorable del juez: _____

14. Una fuga de gas en tu casa: _____

15. Hormigas en tu sándwich durante un pícnic: _____

16. Un té demasiado caliente para beber: _____

17. Un eclipse solar parcial: _____

18. Una aparición en el espejo: _____

19. La conjunción de Júpiter y Saturno: _____

20. Un queso mohoso: _____

Actividad #36

Parafrasea cada cita directa con una cita indirecta. Toma en cuenta el tiempo verbal, la persona y cualquier otra palabra que indique tiempo (anoche, mañana) o espacio (aquí, ese).

1. "Voy a terminar el proyecto antes del viernes que viene".

    Te **dije** que _____

2. "Ponte cómodo y avísame para cualquier cosa que se necesite".

    Te **dije** que _____

3. "Te compraré una casa nueva cuando gane el premio gordo".

    Me **dijiste** que _____

4. "Mi mejor amiga se llama Tomasa".

    Nos **dijo** que _____

5. "No hará mucho sol mañana".

    Pensé que _____

6. "Uds. han anotado suficientes puntos para ganar".

    Nos **dijo** que _____

7. "¿Cuánto tiempo hace que vosotros no veis a Marisol?"

    Nos **preguntaste** (que) _____

8. "Arturo, coge un zumo y vuelve".

    Le **dije** a Arturo que _____

9. "¿Qué quieres que hagamos?"

    ¿Uds. le **han preguntado** (que) qué _____?

10. "¿Quieren acompañarme cuando Uds. hayan terminado eso?"

    Nos **preguntaste** (que) si _____

Completa la tabla con las formas relacionadas que faltan. Puede que haya múltiples posibilidades.

	sustantivo	adjetivo	adverbio
1.	la tardanza	tardío	tarde
2.	el día		
3.			simpáticamente
4.	la semana		
5.		constante	
6.		malo	
7.			cerca
8.		nuevo	
9.	el mes		
10.			sinceramente
11.	la intimidad		
12.			demasiado
13.		pobre	
14.	la locura		
15.		normal	
16.			establemente
17.	el año		
18.		tranquilo	
19.			bien
20.	el horror		

Completa estos dichos con las palabras que faltan.

1. Colorín _____ este cuento se ha _____.

2. Poquito a poquito Paquito _____ poquitas copitas en pocos paquetes.

3. No hay _____ que por _____ no venga.

4. Dime con quién _____ y te diré quién _____.

5. Todo va _____ en popa.

6. Tratamos de engañarlo, pero el tiro salió por la _____.

7. Mejor solo que mal _____.

8. Más sabe el diablo por _____ que por _____.

9. No sabíamos qué hacer. Estábamos entre la _____ y la pared.

10. A mi mejor _____ y _____ no había nadie en la casa.

11. Tengo mucho sueño porque pasé la noche en _____.

12. No le gustan las fiestas porque se siente como _____ en corral ajeno.

13. No te preocupes, que tengo la sartén por el _____.

14. Cuando estaba en Francia, me tropecé con Jorge. El mundo es un _____.

15. Cuando le dije que él estaba despedido, perdió los _____.

16. Nuestro jefe es muy recto; hace todo al _____ de la _____.

17. Llegué tarde porque se me pegaron las _____.

18. A otro perro con ese _____.

19. ¿Me _____, Méndez o te _____, Federico?

20. Le pedí que se callara, pero me mandó a freír _____.

Actividad #39

Para cada oración, escoge o *por* o *para* según el contexto y escribe tu respuesta en el hueco

1. El policía nos pilló manejando a 90 kilómetros _____ hora.

2. Vamos de Guatemala _____ Honduras _____ El Salvador.

3. Pagué €30 _____ una camisa _____ mi papá.

4. Voy a trabajar _____ mi papá hoy porque él no se siente bien.

5. Tengo que terminar un proyecto _____ mañana.

6. Me lo dijo _____ teléfono, pero pedí que me lo pusiera en un correo electrónico.

7. Felicitaciones _____ tu aniversario de trabajo.

8. Sabe muchísimo sobre las ciencias _____ haber sacado un doctorado en bioquímica.

9. Tengo mucha sed. Voy _____ agua.

10. Gracias _____ echarme una mano el otro día.

11. Estaba caminando _____ la orilla del río cuando se me cayó el teléfono.

12. La canción fue escrita _____ Juanes.

13. Primero me toca a mí. Luego le toca a Mónica. Y _____ último, te toca a ti.

14. Tengo que hacer una presentación el martes _____ la mañana.

15. _____ lo visto, no hay motivo. Parece que lo hizo al azar.

16. Las mujeres hemos tenido que luchar _____ nuestros derechos _____ todo el mundo.

17. Sabe muchísimo sobre las ciencias _____ ser un profesor de sociología.

18. Vio _____ la mirilla de la puerta que le habían entregado el paquete.

19. ¿Vamos _____ taxi o _____ bus?

20. Trabajé _____ esa empresa _____ casi diez años.

Actividad #40

Para cada oración, escribe la mejor respuesta en el espacio en blanco.

1. Todos son partes del cuerpo humano excepto _____.

      a. las mamas   b. los nudillos   c. los rincones   d. las encías

2. Uno puede tener todos menos _____.

      a. frío   b. sed   c. divertido   d. miedo

3. Todos son partes de un automóvil moderno excepto _____.

      a. el escape   b. el salpicadero   c. el arranque   d. el chisme

4. Todos estos objetos emiten luz menos _____.

      a. el sol   b. la pauta   c. la bombilla   d. el farol

5. Las formas singular y plural de todas estas palabras son iguales menos _____.

      a. virus   b. dios   c. sacapuntas   d. crisis

6. Todos son jerga para dinero excepto _____.

      a. el pan   b. la pasta   c. la lana   d. la feria

7. Todos son idiomas menos _____.

      a. el alemán   b. el castellano   c. el indio   d. el ruso

8. Los beisbolistas hacen todos cuando juegan excepto _____.

      a. derrapar   b. sacar la pelota   c. brincar   d. pegarle a la pelota

9. Los entremeses te pueden hacer todos menos _____.

      a. abrirte el apetito   b. apetecerte   c. antojársete   d. chuparte los dedos

10. Todos estos alimentos son verdes menos _____.

      a. la col rizada   b. el apio   c. los maníes   d. los guisantes

Actividad #41

Llena cada espacio en blanco con la conjugación correcta en <u>el indicativo</u> o <u>el subjuntivo</u> del <u>presente</u> de los verbos entre paréntesis.

1. Yo dudo que tener que comer frutas les _____ a molestar. (ir)

2. Es importante que nosotros no _____ nuestra comida. (engullir)

3. Es posible que nuestros vecinos _____ pronto. (mudarse)

4. Busco nuevo empleo que me _____ teletrabajar, pero no sé si hay. (permitir)

5. Tú sabes que los mapaches _____ muy problemáticos en nuestro barrio. (ser)

6. Es obvio que nuestro vuelo _____ tarde. (llegar)

7. Tal vez _____ llovido, pero lo dudo. (haber)

8. ¿Tienes una pluma que me _____? (prestar)

9. ¿Me _____ tu pluma, por favor? (prestar)

10. No me parece que _____ suficientes plumas para todos. (haber)

11. Por desesperado, aceptará cualquier puesto que ellos le _____. (ofrecer)

12. Disculpe, señora. ¿Hay una computadora que mi hija _____ ocupar? (poder)

13. Estamos convencidas de que la aerolínea _____ perdido nuestras maletas. (haber)

14. Yo no supongo que vosotros _____ tiempo de jugar esta tarde. (tener)

15. ¿Hay algo que _____ decirme? Ahora es tu chance. (querer)

16. No le hagas caso; ella piensa que el eclipse _____ influencia de extraterrestres. (ser)

17. Es triste que tanta gente _____ cada año en el invierno. (resbalarse)

18. Mi médica me dice que _____ más ejercicio, pero no quiero. (hacer)

19. Yo le digo a mi médica que _____ mucho ejercicio, pero no me cree. (hacer)

20. Confieso que la ropa que llevo puesta no _____ limpia. (estar)

Actividad #42

Indica si los comentarios siguientes son ciertos o falsos. Para los falsos, a ver si puedes sustituir un vocablo para hacer el comentario cierto.

	cierto	falso
1. Los plátanos son amarillos.	_____	_____
2. "Realizar" y "darse cuenta" son sinónimos.	_____	_____
3. El tomate es un vegetal rojo.	_____	_____
4. Los taxistas conducen profesionalmente.	_____	_____
5. Se puede ver Júpiter desde la Tierra sin telescopio.	_____	_____
6. La retinopatía es un síntoma de la diabetes.	_____	_____
7. El tambor es un instrumento de percusión.	_____	_____
8. La navaja es un arma blanca.	_____	_____
9. Los insectos son animales.	_____	_____
10. "Regresar" es sinónimo de "volver" y de "devolver".	_____	_____
11. "Bocadillo" es la forma adjetival de "boca".	_____	_____
12. El "bote" es argot para "marihuana".	_____	_____
13. La luna se está acercando cada vez más a la Tierra.	_____	_____
14. El jamón es carne de cochino.	_____	_____
15. Las cosas que tienen valor valen y por eso se valoran.	_____	_____
16. Los plátanos pueden estar verdes.	_____	_____
17. "Arriba" y "adentro" son antónimos.	_____	_____
18. Los que frecuentan los partidos de fútbol son ventiladores.	_____	_____
19. La escopeta es un arma de fuego.	_____	_____
20. Es ilegal matar en defensa propia en EE. UU.	_____	_____
21. El hijo de mi hermano es mi primo.	_____	_____
22. Armar una manifestación es ilegal en algunos países.	_____	_____
23. Los nómadas digitales, por definición, trabajan a distancia.	_____	_____
24. La filogenia estudia el origen y evolución de los seres vivos.	_____	_____
25. La "bioquímica", "astrofísica" y "quimioterapia" son ciencias.	_____	_____
26. Una molécula de agua consta de tres átomos.	_____	_____
27. Los caimanes son mamíferos.	_____	_____

Actividad #43

Para formar cada oración, cambia el orden de palabras y puntuación para que tenga sentido.

1. y el respectivamente lunes luna fueron martes el nombrados por la y Marte .

_____

2. los dios no dios posibilidad en ningún , ni ateos en creen ningún tampoco la de .

_____

3. hay centímetros pulgadas que seis yarda en cien metro treinta un mientras hay y en una .

_____

4. el grasas son flota las más ligeras que aceite agua y eso por el .

_____

5. algunos esqueletos tiburones cartílago peces tienen pero hueso , de los todos los tienen de .

_____

_____

6. selva frondosos llena la está de fértiles salvajes , tierras animales y árboles .

_____

7. los alberca gimnasio compiten gimnastas los en nadadores la , los en la corredores pista y en el .

_____

_____

8. los rastrillaron muebles piso desempolvaron , las y barrieron hojas el .

_____

9. padres pero llevan , los manoplas sus guantes pongan prefieren que hijos se .

_____

10. el peso índice de cálculo es un masa en que estatura toma solo cuenta corporal y .

_____

Actividad #44

Para cada verbo conjugado, escribe el sujeto, el tiempo verbal, el modo y su infinitivo. Luego escribe una oración original utilizando el verbo conjugado en contexto.

1. **leyeron**　　　sujeto _____　　　tiempo verbal _____

　　infinitivo _____　　　modo _____

_____

2. **compitáis**　　　sujeto _____　　　tiempo verbal _____

　　infinitivo _____　　　modo _____

_____

3. **durmámonos**　　　sujeto _____　　　tiempo verbal _____

　　infinitivo _____　　　modo _____

_____

4. **viste**　　　sujeto _____　　　tiempo verbal _____

　　infinitivo _____　　　modo _____

_____

5. **sé**　　　sujeto _____　　　tiempo verbal _____

　　infinitivo _____　　　modo _____

_____

6. **habría habido**　　　sujeto _____　　　tiempo verbal _____

　　infinitivo _____　　　modo _____

_____

7. **cuelgues**　　　sujeto _____　　　tiempo verbal _____

　　infinitivo _____　　　modo _____

_____

Actividad #45

Llena el espacio en blanco con la conjugación más apropiada de las opciones entre paréntesis.

Ayer en la mañana, me _____ (desperté/despertaba) muy tempranito

porque _____ (quise/quería) jugar al tenis con mi amigo. Cuando lo

_____ (llamé/llamaba) por teléfono para ver si _____

(estuvo/estaba) listo, me _____ (informó/informaba) que no

_____ (pudo/podía) ir a jugar porque _____ (tuvo/tenía)

demasiado sueño. Al oír su excusa, le _____ (dije/decía) que no

_____ (acepté/aceptaba) ninguna excusa y que yo _____

(fui/iba) a estar en la cancha a las 8:00 en punto y que él _____ (debió/debía)

estar allí también listo para jugar tal y como lo _____ (hemos/habíamos)

planeado la semana anterior. Él, por fin, _____ (concordó/concordaba) y luego

_____ (colgamos/colgábamos) el teléfono. Cuando _____

(llegué/llegaba), él ya me _____ (esperó/esperaba), pero otros dos jugadores

_____ (ocuparon/ocupaban) la cancha. Cuando ellos

_____ (notaron/notaban) que nosotros _____

(hemos/habíamos) venido a jugar, nos _____ (invitaron/invitaban) a jugar con

ellos. Al final, _____ (jugamos/jugábamos) con ellos durante más de tres

horas. ¡Qué divertido!

Actividad #46

Describe los términos siguientes en tus propias palabras para que un/a joven hispanohablante que desconociera el concepto pudiera imaginárselo.

1. un oso de peluche: _____

_____

2. un rompecabezas: _____

_____

3. una tarjeta de crédito: _____

_____

4. una fotocopiadora: _____

_____

5. la biología: _____

_____

6. un pasamanos: _____

_____

7. la plomería: _____

_____

8. una estrella fugaz: _____

_____

9. una bandeja de entrada: _____

_____

10. un arma biológica: _____

_____

Muchas palabras tienen una versión coloquial, la cual suele ser más corta ("el acortamiento"). Sin mucho contexto, pueden resultar ser difíciles de identificar. Sin contexto alguno, a ver si puedes identificar estas versiones coloquiales. Escribe su versión oficial en el espacio en blanco. Como te puedes imaginar, es posible que haya múltiples posibilidades.

1. la bici: _____

2. el cumple: _____

3. la moto: _____

4. la pisci: _____

5. el cine: _____

6. el cole: _____

7. la disco: _____

8. el finde: _____

9. el zoo: _____

10. tranquis: _____

11. el refri: _____

12. el compa: _____

13. el/la peque: _____

14. la poli: _____

15. el celu: _____

16. la radio: _____

17. el bus: _____

18. el/la abue: _____

19. la bío: _____

20. la tele: _____

21. el cintu: _____

22. el boli: _____

23. el micro: _____

24. el corto: _____

25. la foto: _____

26. díver: _____

27. la expo: _____

28. el fut: _____

29. la uni: _____

30. porfis: _____

31. el kilo: _____

32. el narco: _____

33. el auto: _____

34. porfa: _____

35. la prepa: _____

36. la quimio: _____

37. simpa: _____

38. el súper: _____

39. el básquet: _____

40. la peli: _____

Actividad #48

Completa la tabla con las formas indicadas del verbo *querer*.

el presente del indicativo   **el presente del subjuntivo**

_____ _____ | _____ _____

_____ _____ | _____ _____

_____ _____ | _____ _____

el imperfecto del indicativo   **el imperfecto del subjuntivo (ra)**

_____ _____ | _____ _____

_____ _____ | _____ _____

_____ _____ | _____ _____

el pretérito del indicativo   **el imperfecto del subjuntivo (se)**

_____ _____ | _____ _____

_____ _____ | _____ _____

_____ _____ | _____ _____

el futuro simple del indicativo   **el imperativo**

_____ _____ | mandar a alguien a *querer* no es práctico

_____ _____ |

_____ _____ |

el condicional del indicativo   **el gerundio**   **el participio pasado**

_____ _____ | _____ _____

_____ _____ |

_____ _____ |

Todas las oraciones siguientes contienen por lo menos un error gramatical. Reescribe las oraciones corrigiendo todos los errores que identifiques.

1. ¿Me ayudas, por favor, cuando tienes un momento?

_____

2. Yo fui enfermo la semana pasada y por eso no fui a trabajar.

_____

3. No pude respirar bien porque fue mucho humo en el aire.

_____

4. Mi familia vamos en vacación a finales de este mes.

_____

5. ¿Qué estás haciendo el próximo fin de semana?

_____

6. Cuando era niña, yo jugaría por horas cada día después de las clases.

_____

7. Si yo gané la lotería, compraría un condominio.

_____

8. El equipo de México ganaron el primero partido, pero perdieron el segundo.

_____

9. Me gustaría comprar esa camisa, pero la cuesta demasiada.

_____

10. No tengo tan mucho dinero que tú.

_____

Actividad #50

Para cada verbo, escribe una preposición que lo deba/pueda acompañar y da un ejemplo original. ¡Ojo! En algunos casos, se puede usar más de una preposición sin que se cambie el significado, pero, por lo general, el cambiar preposiciones cambia bastante el significado del concepto.

1. llenar _____ _____

_____

2. consistir _____ _____

_____

3. acordarse _____ _____

_____

4. luchar _____ _____

_____

5. saber _____ _____

_____

6. acceder _____ _____

_____

7. llegar _____ _____

_____

8. soñar _____ _____

_____

9. acabar _____ _____

_____

10. influir _____ _____

_____

Actividad #51

Completa cada oración con una frase que tenga sentido.

1. Lo que no saben los estudiantes de medicina es que _____

_____

2. Si llueve mañana durante mi torneo de tenis, te juro que _____

_____

3. Pase lo que pase en tu entrevista este viernes, asegúrate de no _____

_____

4. Hace muchos años, los empresarios se vestían de traje y corbata, pero _____

_____

5. Fui al banco ayer para cambiar un cheque, pero cuando _____

_____

6. Algunos estudiantes se quejaron de la tarea mientras que otros _____

_____

7. Cada vez que yo pedía jugar con los juguetes de mis amiguitos, _____

_____

8. No copien las respuestas de sus compañeros de clase durante el examen porque _____

_____

9. A mí me encantan las ostras en la media concha con limón y chile, pero una vez _____

_____

10. Estamos convencidas de que el hongo que nos dio la chamana _____

_____

Hagamos poesía. Termina cada estrofa con un verso acorde con la rima indicada. Ni tú ni yo somos Pablo Neruda así que no te preocupes de escribir algo profundo. Nomás diviértete.

1. Obedezco pues crezco (A)
   Crezco pues agradezco (A)
   Agradezco pues merezco (A)

   _____ (A)

2. Papas al horno (A)
   No es buen soborno (A)
   Si quieres que el poli (B)

   _____ (A)

3. ¿Qué hay de cena? (A)
   ¿Algo muy sabroso? (B)
   ¿Flan con avena? (A)

   _____ (B)

4. Cuando me caí al río (A)
   Me dio pero mucho frío (A)
   Después tomé el sol (B)

   _____ (B)

5. Ese hombre flaco (A)
   Es un tío mío (B)
   Cuando come un taco (A)

   _____ (B)

6. Érase una vez (A)
   Una morsa que comió un pez (A)
   Aún hambrienta (B)
   No estaba contenta (B)

   _____ (A)

Reescribe las oraciones siguientes cambiando la voz activa por la voz pasiva: una vez usando "ser" y otra vez usando el "se pasivo".

1. Hay cuatro idiomas principales que la gente habla en España.

(ser) _____

(se) _____

2. Los indígenas no celebran la llegada de Cristóbal Colón al "Nuevo Mundo".

(ser) _____

(se) _____

3. Los parachoques protegerán el carro en caso de accidente.

(ser) _____

(se) _____

4. Las tropas invadieron el territorio y lo saquearon.

(ser) _____

(se) _____

5. La Cruz Roja y otras organizaciones entregaron muchas necesidades al pueblo.

(ser) _____

(se) _____

6. La tribu entierra los difuntos con ceremonias elaboradas.

(ser) _____

(se) _____

Actividad #54

Propón al menos dos adjetivos para describir la **cosa** de cada situación.

1. Un **grifo** que gotea: _____

2. Una **mancha** en tu camisa nueva: _____

3. Lluvia durante tu pícnic: _____

4. Un hoyo en un bolsillo de tus pantalones: _____

5. El tanto que acaba de anotar tu equipo favorito: _____

6. Tus electrodomésticos nuevos en la cocina: _____

7. Tripas, cuando descubres que no es pescado: _____

8. El vecino que no te ha devuelto tu cortacésped: _____

9. El gato vecino que deja pelo en tus muebles del patio: _____

10. Un tobogán de metal en el verano: _____

11. Una serpiente que hallas en tu cesto de la ropa sucia: _____

12. El burro que no puedes hacer moverse: _____

13. El nacimiento de gatitos gemelos: _____

14. El 18 cumpleaños de tu hija: _____

15. Noticias de un robo en tu vecindario: _____

16. El Día de Acción de Gracias en tu casa: _____

17. el sepulcro de tus abuelos: _____

18. Un cinturón de seguridad que no se puede abrochar: _____

19. El cajero automático que comió tu tarjeta de débito: _____

20. La fiesta de graduación de tu vecino: _____

Actividad #55

Parafrasea cada cita directa con una cita indirecta. Toma en cuenta el tiempo verbal, la persona y cualquier otra palabra que indique tiempo (anoche, mañana) o espacio (aquí, ese).

1. "Si tienes alguna pregunta, no dudes en hablarme por teléfono".

    Te **dije** que _____

2. "No podemos ir si tenemos que trabajar".

    Ellos me **han dicho** varias veces que _____

3. "No me interesa ver la peli porque la he visto demasiadas veces".

    Me **dijo** que _____

4. "Hay varias opciones, pero solo podré escoger una".

    Dije que _____

5. "¿Vas a haberlo hecho antes de que te llame?"

    Me **preguntaste** (que) si _____

6. "Mi papá siempre me dice que debo tener más cuidado".

    Me **dijiste** que _____

7. "Mijo, no eructes en el restaurante, que está mal visto".

    Mi mamá me **decía** que _____

8. "Uds. deberán entregar el reporte antes de que la directora llegue mañana".

    Nos **dijo** que _____

9. "Llama a la policía si no vuelvo antes de las 21:00".

    Te **dije** que _____

10. "Vámonos, que no nos queda mucho tiempo".

    Él nos **dijo** que _____

Actividad #56

Para cada adjetivo o adverbio, propón un diminutivo *o* un aumentativo según tenga sentido. Para cada sustantivo, propón un diminutivo *y* un aumentativo. Sigue los ejemplos.

	diminutivo	**aumentativo**
1. una mesa	una mesita	una mesota
2. callada	calladita	
3. un coche		
4. sentados		
5. un café		
6. un abrazo		
7. una silla		
8. vieja		
9. chula		
10. un perdón		
11. más o menos		
12. rápido		
13. fuerte		
14. un perro		
15. un problema		
16. una pregunta		
17. delgada		
18. chaparro		
19. un dulce		
20. un hueco		

Actividad #57

Lee la lectura siguiente y llena cada hueco con un vocablo lógico según el contexto. ¡Ojo! Habrá múltiples posibilidades. La idea no es tener razón, sino explorar el uso del idioma y retarse.

    Mi hijo va a _____ para el equipo escolar de béisbol este año. Juega muy bien cuando está con sus amigos en el/la _____, pero nunca ha jugado para ningún equipo. Él se siente muy _____ porque teme no ser bastante bueno para jugar a ese nivel. Le digo que no se preocupe, que, pase lo que pase, el intento será un/a buen/a _____. Esta tarde, vamos a ir de _____ para buscar el equipo que va a necesitar. Si lo eligen para el equipo, le proporcionarán un/a _____ y un/a _____, pero para las pruebas, le hacen falta varias cosas. Ya tiene un _____, pero no le queda bien a su mano, así que vamos a buscarle uno nuevo. Para las pruebas, puede tomar _____ un bate de un amigo, pero todos dicen que, si llega a ser miembro del equipo, querrá comprar su _____ bate, tomando en cuenta el/la _____ y el/la _____. Y, por último, necesitará comprar unos/as nuevos/as _____. Sus pies siguen creciendo así que no estoy segura de qué _____ usa. Tendrá que _____ diferentes pares para ver cuáles le gusten y cuáles le queden bien.

    Parece que los _____ del equipo son muy simpáticos y talentosos. Se dice que les importa más enseñar los fundamentos del deporte y fomentar valores de vida que simplemente enfocarse en _____ partidos, aunque es verdad que han llegado a la semifinal de postemporada los últimos dos años. Espero que así sea porque mi hijo no se lleva muy bien con gente demasiado _____. Pero bueno, poco sirve especular sobre tales cosas. Sabremos más detalles después de las pruebas mañana.

Actividad #58

Para cada oración, escoge o *saber* o *conocer* según el contexto y escribe tu respuesta en el hueco

1. ¿ _____ la mejor ruta a la cima de la montaña? (Sabes / Conoces)

2. ¿ _____ esta ruta a la cima de la montaña? (Sabes / Conoces)

3. No _____ la verdad. Todo me parece mentira. (sé / conozco)

4. No _____ qué es la verdad. Todo me parece mentira. (sé / conozco)

5. ¿ _____ a la hija del Sr. Benavides? (supieron / conocieron)

6. ¿ _____ cuál era la hija del Sr. Benavidez? (supieron / conocieron)

7. Ella llegó tarde porque no _____ a qué hora empezaba el mitin. (sabía / conocía)

8. Ella llegó tarde porque no _____ bien los planos del edificio. (sabía / conocía)

9. No _____ la canción, así que tenemos que memorizarla. (sabemos / conocemos)

10. No _____ la canción, así que tenemos que escucharla. (sabemos / conocemos)

11. ¿ _____ la hora? (Sabes / Conoces)

12. ¿ _____ qué horas son? (Sabes / Conoces)

13. ¿ _____ las indicaciones hacia su casa? (sabes / conoces)

14. ¿ _____ cómo llegar a su casa? (Sabes / Conoces)

15. ¿ _____ el camino a su casa? (Sabes / Conoces)

16. No me ha dado indicaciones a su casa, que yo _____. (sepa / conozca)

17. No he _____ a nadie que _____ la respuesta.
    (sabido / conocido)   (sepa / conozca)

18. Quiero _____ quién me _____ mejor.
    (saber / conocer)   (sabe / conoce)

19. Ud. _____ que no _____ el área. (sabe / conoce) (sé / conozco)

20. No la _____, pero _____ quién es. (sé / conozco) (sé / conozco)

Para cada oración, escribe la mejor respuesta en el espacio en blanco.

1. Todas son formas educadas de decir "vieja" a una persona excepto _____.

    a. mayor   b. de edad avanzada   c. de tercera edad   d. antigua

2. Todos describen posturas corporales salvo _____.

    a. en cuclillas   b. ebrio   c. erguido   d. agachado

3. Se encuentran todos por la playa menos _____.

    a. las conchas   b. las algas   c. los cauces   d. la basura

4. Todos estos términos se refieren a personas salvo _____.

    a. camarera   b. cajera   c. costurera   d. cajuela

5. Todos estos son animales menos _____.

    a. los castores   b. las charcas   c. las cabras   d. las cobayas

6. Todos son sinónimos de "por eso" excepto _____.

    a. por lo tanto   b. por ende   c. por consiguiente   d. por lo visto

7. Todos estos planetas son rocosos salvo _____.

    a. Marte   b. Neptuno   c. Venus   d. Mercurio

8. Todas estas afecciones son causadas por los virus menos _____.

    a. el tétano   b. el herpes   c. la viruela   d. el sarampión

9. Todos son sinónimos de "por supuesto" menos _____.

    a. claro   b. supuestamente   c. ciertamente   d. sin duda

10. Todas estas equivalencias son ciertas excepto _____.

    a. desear = amar   b. amar = querer   c. querer = desear

Actividad #60

Llena cada espacio en blanco con la conjugación correcta en **el futuro simple** del verbo entre paréntesis.

1. Pamela _____ música si le decimos qué artistas nos gustan. (poner)

2. Nosotras _____ en cuanto Isis llegue. (salir)

3. ¿Qué _____ tú para prepararte para el apocalipsis? (hacer)

4. No sé si todas esas cajas _____ en el maletero al mismo tiempo. (caber)

5. Dios _____ por qué la señora Peña se comporta así. (saber)

6. Te _____ los libros. (gustar)

7. Tito te _____ adónde vamos exactamente. (decir)

8. Vosotros no _____ competir hasta que os registréis. (poder)

9. La fiesta les _____ mejor si Uds. se comprometen a no discutir la política. (ir)

10. _____ la pena que Uds. vean esa obra de teatro. (valer)

11. No _____ tantos corredores en esta carrera debido a la pandemia. (haber)

12. Míriam _____ todas las respuestas que desees. (tener)

13. ¿ _____ a mi fiesta si te presento a mi jefa? (venir)

14. Esa mujer ha predicho varias crisis y seguro _____ muchas más. (predecir)

15. No pidas dos burros. Te juro que uno te _____. (satisfacer)

16. Estos episodios nos _____ hasta que ellas vengan por nosotros. (entretener)

17. Yo _____ de esta mochila y luego podremos relajarnos. (deshacerse)

18. La vacuna _____ que contraigas la enfermedad. (prevenir)

19. Ellos os _____ un presupuesto y luego lo aceptaréis o no. (proponer)

20. Te _____ que te pinte un retrato, que sus obras son bien divertidas. (gustar)

Actividad #61

Indica si los comentarios siguientes los dudas o los crees. Para los que dudes, imagina el subjuntivo que resultaría si las frases empezaran por "Dudo que…"

	lo dudo	lo creo
1. Con una mordida, los murciélagos te convierten en vampiro.	_____	_____
2. El "Pie Grande" murió y por eso hace años que nadie lo ve.	_____	_____
3. Hay miles de millones de estrellas en nuestra galaxia.	_____	_____
4. Eres lo que comes.	_____	_____
5. Si te tragas un chicle, te queda en el estómago por siete años.	_____	_____
6. Los gatos negros están embrujados.	_____	_____
7. Muchos policías creen que la luna llena ocasiona locuras.	_____	_____
8. Romper un espejo te traerá siete años de mala suerte.	_____	_____
9. Seis diferentes misiones Apolo aterrizaron en la luna.	_____	_____
10. Los zurdos están poseídos por el diablo.	_____	_____
11. Piedra vence a Tijera, Tijera a Papel y Papel vence a Piedra.	_____	_____
12. La luna es de queso.	_____	_____
13. Sin telescopio, nada se puede ver fuera de la Vía Láctea.	_____	_____
14. El sol sale por el este exacto solo durante los dos equinoccios.	_____	_____
15. Los seres lunares nos dijeron que no regresáramos más.	_____	_____
16. La dizque "evidencia" de los dinosaurios es un truco diabólico.	_____	_____
17. La "nanomedicina" será muy común en el siglo XXI.	_____	_____
18. Las cigüeñas llevan con sus padres a los recién nacidos.	_____	_____
19. Bomba vence a Pie, Pie a Cucaracha y Cucaracha a Bomba.	_____	_____
20. Con fe, todo es posible, incluso volar sin alas.	_____	_____
21. Si ingieres el CBD a diario, te protegerá de todos los males.	_____	_____
22. Los seres humanos somos descendientes de los monos.	_____	_____
23. Mi papá puede vencer al tuyo.	_____	_____
24. El dios de los cristianos y el de los musulmanes es el mismo.	_____	_____
25. El consumo excesivo de alcohol no te da resaca si tomas café.	_____	_____
26. Los seres humanos y los monos tenemos los mismos ancestros.	_____	_____
27. Una no puede embarazarse si tiene sexo en agua.	_____	_____

Para formar cada oración, cambia el orden de palabras y puntuación para que tenga sentido.

1. sediento limonada a porque voy por una estoy .

_____

2. favorito el comeré pero echas pastel blanco no mi es , si frutas le unas, lo .

_____

3. ¿ con te gato ver a correa extrañaría pasear alguien a su ?

_____

4. brazo es que la "muñeca" palabra una describe verdad un juguete del y parte .

_____

5. palos pero usan hockey lacrosse mismos el se para , el claro golf y el , no , los .

_____

6. los mangas las no tienen , las las camisetas tienen chalecos cortas , camisas y las largas tienen .

_____

_____

7. he le todavía mi de hablado enviado vida , pero han hoja me no .

_____

8. tal se a tratara atrevería de proyecto que cualquier casero con plomería realizar de no se .

_____

_____

9. la , puse en un carta sobre la con escribí y la timbre mandé .

_____

10. una coincidan el casualidad que relámpago es no granizo y el .

_____

Actividad #63

Para cada verbo conjugado, escribe el sujeto, el tiempo verbal, el modo y su infinitivo.

1. **han hecho**   sujeto _____   tiempo verbal _____

    infinitivo _____   modo _____

2. **temían**   sujeto _____   tiempo verbal _____

    infinitivo _____   modo _____

3. **quisierais**   sujeto _____   tiempo verbal _____

    infinitivo _____   modo _____

4. **di**   sujeto _____   tiempo verbal _____

    infinitivo _____   modo _____

5. **habrás visto**   sujeto _____   tiempo verbal _____

    infinitivo _____   modo _____

6. **era**   sujeto _____   tiempo verbal _____

    infinitivo _____   modo _____

7. **podamos**   sujeto _____   tiempo verbal _____

    infinitivo _____   modo _____

Actividad #64

Lee las descripciones siguientes y escribe palabras o términos con los cuales pueden corresponder.

1. Es un día festivo para el cual la gente adorna su hogar de brujas, arañas, murciélagos y calabazas. Los niños van disfrazados de casa en casa pidiendo dulces: _____

2. Es un gato grande y salvaje que vive en África. Es menos veloz que el guepardo y menos grande que el león. Suele cazar de noche y dormir en los árboles: _____

3. Es lo que uno hace cuando se siente atraído por alguien y desea mostrarle de manera sutil que tiene algún interés romántico en él: _____

4. Es un crustáceo marino que, por lo general, cuenta con cuatro pares de patas y dos pinzas. No nada muy bien, pues camina de lado a lado por la arena: _____

5. Es un fenómeno celeste que ocurre cuando un cuerpo celeste oculta u obstaculiza temporalmente la vista a otro cuerpo celeste desde cierto punto de vista: _____

6. Es una profesión que trata de investigar sucesos cotidianos a través de entrevistas con el público y reportarlos por medio de diarios impresos, telediarios y la radio: _____

7. Es lo que le dices a alguien para desearle lo mejor en varias circunstancias o celebraciones tales como los cumpleaños, las bodas, las graduaciones, entre otras: _____

8. Son cualesquier letreros o avisos que, en las sociedades urbanizadas, indican las normas de las calles y carreteras, con el fin de proteger al público: _____

9. Es una persona que, por una razón u otra, manifiesta o profesa una actitud, opinión, deseo, sentimiento, consejo, etc. mientras vive lo contrario: _____

10. Es un sitio o plataforma virtual donde los miembros, usuarios u otros participantes se reúnen a su gusto para discutir determinados temas de interés: _____

Actividad #65

Las palabras que terminan en -*ma* son problemáticas porque algunas son masculinas mientras que otras son femeninas. Para colmo, algunas femeninas requieren el artículo masculino por empezar por una *a* tónica. Pon las palabras del banco (y sus artículos definidos) en sus categorías respectivas.

alma, ama, alarma, anagrama, ánima, aroma, arma, asma, bioma, broma, caguama, calma, cama, chusma, cima, clima, coma, crucigrama, cuaresma, dama, diafragma, dilema, diploma, dogma, drama, enigma, esperma, espuma, estigma, fama, fantasma, firma, forma, gama, goma, idioma, karma, lema, magma, mama, norma, palma, paloma, papiloma, paradigma, plasma, plataforma, pluma, poema, problema, programa, puma, reforma, sintagma, sistema, suma, tarima, tema …

género masculino			**género femenino**	
_____	_____		_____	_____
_____	_____		_____	_____
_____	_____		_____	_____
_____	_____		_____	_____
_____	_____		_____	_____
_____	_____		_____	_____
_____	_____		_____	_____
_____	_____		_____	_____
_____	_____		_____	_____
_____	_____		_____	_____
_____	_____		_____	_____
_____	_____		_____	_____
_____	_____		_____	_____
_____	_____		_____	_____

Actividad #66

Completa la tabla con las formas indicadas del verbo **poner**.

el presente del indicativo   **el presente del subjuntivo**

_____ _____ | _____ _____

_____ _____ | _____ _____

_____ _____ | _____ _____

el imperfecto del indicativo   **el imperfecto del subjuntivo (ra)**

_____ _____ | _____ _____

_____ _____ | _____ _____

_____ _____ | _____ _____

el pretérito del indicativo   **el imperfecto del subjuntivo (se)**

_____ _____ | _____ _____

_____ _____ | _____ _____

_____ _____ | _____ _____

el futuro simple del indicativo   **el imperativo**

_____ _____ | _____

_____ _____ | _____ _____

_____ _____ | _____ _____

el condicional del indicativo   **el gerundio**   **el participio pasado**

_____ _____ | _____ _____

_____ _____ |

_____ _____ |

Actividad #67

Todas las oraciones siguientes contienen por lo menos un error gramatical. Reescribe las oraciones corrigiendo todos los errores que identifiques.

1. Sé vas a salir casa pronto, pero te quiero saber siempre serás bienvenido aquí.

_____

2. Las clases de matemáticas son difícil y por eso no me las gusta.

_____

3. Cuando tienes un momento, limpia el mostrador y el estufa, que los has dejado sucios.

_____

4. Habían dos carros destrozados en la calle. Obviamente había un choque.

_____

5. Tomé demasiado tequila el viernes pasado y el próximo día me desperté con la cruda.

_____

6. Fue un concierto en el parque tres noches pasado, pero no fui porque fui enfermo.

_____

7. Pienso mi jefe dame un aumento de sueldo el próximo año.

_____

8. Mi familia vamos en vacación a finales de agosto.

_____

9. Lo más que estudias, lo más que aprendes.

_____

10. Ni tú ni yo soy rico.

_____

Actividad #68

Para cada verbo, escribe una preposición que lo deba/pueda acompañar y da un ejemplo original. ¡Ojo! En algunos casos, se puede usar más de una preposición sin que se cambie el significado, pero, por lo general, el cambiar preposiciones cambia bastante el significado del concepto.

1. avergonzarse _____ _____

_____

2. cubrir _____ _____

_____

3. vestirse _____ _____

_____

4. ayudar _____ _____

_____

5. limitarse _____ _____

_____

6. meterse _____ _____

_____

7. resignarse _____ _____

_____

8. alegrarse _____ _____

_____

9. constar _____ _____

_____

10. comenzar _____ _____

_____

Actividad #69

Dale un buen principio a cada oración basado en el fin que se da.

1. _____

_____ y es por eso que le dije que jamás volvería a hacerlo.

2. _____

_____, pero, a pesar de eso, se las serví a mi suegra.

3. _____

_____, así que no me culpes si no funcionan.

4. _____

_____ y si se lo dices a alguien, lo negaré hasta la muerte.

5. _____

_____ entonces decidí subirme al tren y no mirar atrás.

6. _____

_____ y ahora sabes por qué no los aguanto más.

7. _____

_____ y desde entonces, ella no ha confiado en el sistema.

8. _____

_____ y al final, me lo puse, pero solo para fastidiarla.

9. _____

_____ y cuando el juez la condenó, quedó verdaderamente pasmada.

10. _____

_____ y quizá pensará dos veces antes de cruzarse más en mi camino.

Hagamos poesía. Termina cada estrofa con un verso acorde con la rima indicada. Ni tú ni yo somos Pablo Neruda así que no te preocupes de escribir algo profundo. Nomás diviértete.

1. Le he enviado mi hoja de vida (A)
   Pero no me ha hablado todavía (A)
   Si no me emplea (B)
   Por más triste que sea (B)

   _____ (A)

2. Lo puse en copia de carbón (A)
   No como destinatario (B)
   Luego me dijo cabrón (A)

   _____ (B)

3. Sus actos son irresponsables (A)
   Sus ideas abominables (A)
   Le dije que no (B)
   Y me abofeteó (B)

   _____ (A)

4. Juras que no fuiste tú (A)
   Aunque todos oímos "achú" (A)
   Lo niegas de más (B)
   Nunca convencerás (B)

   _____ (A)

5. Nosotros decimos "sin embargo" (A)
   Mientras que ellos dicen "no obstante" (B)
   No es por diferencia de cargo (A)

   _____ (B)

6. Lo llaman "cambio climático" (A)
   Antes, "calentamiento global" (B)
   Y cuanto más se considere político (A)

   _____ (B)

Actividad #71

Es tiempo de "*Mad Libs*". Sin leer de antemano las historias a continuación, escribe dos distintas palabras creativas e interesantes que cumplan con la gramática indicada para cada número. Luego lee las historias, introduciendo las palabras que hayas escrito en los espacios correspondientes.

		Historia A	Historia B
1.	Nombre de pila masculino	_____	_____
2.	Preposición posicional	_____	_____
3.	Objeto de género masculino	_____	_____
4.	Lugar de género femenino	_____	_____
5.	Adjetivo masculino singular	_____	_____
6.	Adjetivo masculino singular	_____	_____
7.	Verbo de acción (infinitivo)	_____	_____
8.	Verbo de acción (infinitivo)	_____	_____
9.	Verbo de acción (infinitivo)	_____	_____
10.	Verbo de acción (infinitivo)	_____	_____

Historia A:

_____1_____ vivía ____2____ un ____3____ en una ____4____. Todos los demás pensaban que él era ____5____ pero él se creía simplemente ____6____. Cuando quería entretenerse, siempre intentaba ____7____ y ____8____, pero no les gustaba a los demás que lo hiciera. Hartos con él, decidieron que cada vez que él intentara ____7____, lo iban a obligar a ____9____. Y cada vez que él intentara ____8____, lo obligarían a ____10____.

Historia B:

_____1_____ era un tipo al que no le gustaba estar ____2____ ningún ____3____. Cuando se encontraba en una ____4____, se ponía ____5____ y ____6____. Lo peor no era que se pusiera así, sino que empezaba a ____7____. Y cuando empezaba a ____7____, sus amigos empezaban a ____8____. Y cuando sus amigos empezaban a ____8____, los demás a su alrededor se sentían obligados a ____9____. Y eso es cuando todos se ponían a ____10____.

Actividad #72

Reescribe las oraciones siguientes cambiando la voz pasiva por la voz activa. Si no hay sujeto escrito para la voz activa, por la naturaleza de la voz pasiva, tendrás que inventar uno lógico.

1. Las pirámides fueron construidas por una civilización antigua hace más de mil años.

   Una civilización antigua construyó las pirámides hace más de mil años.

2. Los papeles fueron dispersados por la ráfaga.

   _____

3. La mesa se quebró cuando los niños saltaron por encima.

   _____

4. Se me perdieron las llaves cuando jugábamos en el río.

   _____

5. Los estudiantes se aburrieron cuando el director empezó a hablar.

   _____

6. Ese poema fue escrito por un poeta famoso.

   _____

7. El transporte de bienes se revolucionó con la invención de la rueda.

   _____

8. Se me olvidaron todos los detalles.

   _____

9. Las cifras fueron calculadas usando algoritmos avanzados.

   _____

10. Sus pinturas fueron arruinadas por la lluvia.

   _____

Actividad #73

Propón algo que pueda ser descrita por cada set de adjetivos.

1. grande y redonda: _____

2. perezosa y lenta: _____

3. heridas y desamparadas: _____

4. básico y aburrido: _____

5. pequeños y frágiles: _____

6. blanco y negro: _____

7. larga y rectangular: _____

8. pardo y pegajoso: _____

9. fuerte y resistente: _____

10. impulsivas y necias: _____

11. leal y cariñoso: _____

12. difícil y problemático: _____

13. emocionante y fascinante: _____

14. perfeccionista y criticona: _____

15. maravillosa pero triste: _____

16. intimidante pero positivo: _____

17. obstinados pero confiables: _____

18. egoísta y consentida: _____

19. seco pero delicioso: _____

20. hermosa pero apestosa: _____

Actividad #74

Escribe la cita directa correspondiente para cada cita indirecta. Toma en cuenta el tiempo verbal, la persona y cualquier otra palabra que indique tiempo (anoche) o espacio (aquí). Sigue el modelo.

1. Le dijo a David que no tenía tiempo aquel día.

   Le **dijo**: "___No tengo tiempo hoy, David_____".

2. Me dijo que no tocara su guitarra.

   Me **dijo**: "_____".

3. Nos dice que su casa no queda lejos.

   Nos **dijo**: "_____".

4. Le dijo que se pusiera las pilas porque la graduación se acercaba.

   Te **dije**: "_____".

5. Te pregunté que si vendrían el día siguiente o en dos días.

   Me **preguntó**: "¿ _____?"

6. Antes de nuestro viaje, te pregunté que si habías estado alguna vez en otro país.

   Te **pregunté**: "¿ _____?"

7. Nos dicen que no vayamos hoy, que ellos quieren acompañarnos mañana.

   Nos **dijeron**: "_____".

8. Te dije que era peligroso y que no lo hicieras.

   Me **dijiste**: "_____".

9. Me explicó que, ella en mi lugar, no iría porque había habido muchas protestas.

   Me **dijo**: "_____".

10. Os contó que su colega estaba cojo y que no podría hacer senderismo.

    Nos **dijiste**: "_____".

Actividad #75

Para cada adjetivo o adverbio, propón un sinónimo *y* un antónimo. Sigue el modelo.

	sinónimo	**antónimo**
1. rápido	veloz	lento
2. afortunados		
3. viejo		
4. nunca		
5. inteligentes		
6. modesto		
7. severos		
8. celoso		
9. desgraciada		
10. borrachos		
11. codiciosas		
12. feliz		
13. entretenido		
14. también		
15. simpáticas		
16. honesta		
17. lastimada		
18. activos		
19. semejantes		
20. profundo		

Este diálogo entre una reportera y un ciudadano NO está en orden. En la página siguiente, reescríbelo en orden.

Eran como las 5:30. El sol todavía no había salido, pero cuando vi de reojo la luz por la ventana, pensé que el sol estaba cayendo del cielo.

¿Has sido evaluado por los médicos?

Estoy aquí en el lugar de los hechos con Manny Benavides, residente de este vecindario. Gracias por hablar con Canal 9, Manny.

Sí, señora.

Pues acababa de despertarme y estaba preparando mi cafecito, aún de pijama.

Muchas gracias.

¿Dices que fuiste testigo de los eventos de esta mañana?

Bueno, la luz se volvió demasiado brillante y tuve que cerrar los ojos y como pensé que iba chocar con mi casa, me agaché detrás del mostrador y me cubrí la cabeza con los brazos.

Por haberme escondido detrás del mostrador, el vidrio no me pegó.

¿Qué hora era?

Del oído izquierdo sí, pero aún no oigo nada del derecho.

¿Te refieres a la luz que emitía el meteorito?

Cuéntanos qué sucedió.

¿Y qué pasó después?

Bueno, oí romperse todo el vidrio y luego oí una explosión como nunca antes había oído. Luego solo oía un tintineo en los oídos. Pensé que me había vuelto sordo.

Con mucho gusto.

Sí, precisamente.

Bueno, gracias por estar con nosotros. Te deseamos lo mejor y que te recuperes pronto.

Pero el meteorito no chocó con tu casa.

¿Fuiste herido por el vidrio?

Y por haber cerrado tus ojos, no viste nada, pero háblame de qué oíste.

Sí y me han dicho que no pierda fe, pero que es posible que mi oído nunca se recupere.

¿Pero ahora puedes oír?

Afortunadamente que no. Pero la ondas sonoras rompieron todas las ventanas de mi casa.

Reportera: _____

_____

Manny: _____

Reportera: _____

Manny: _____

Reportera: _____

Manny: _____

Reportera: _____

Manny: _____

_____

Reportera: _____

_____

Manny: _____

Reportera: _____

Manny: _____

_____

_____

Reportera: _____

Manny: _____

_____

Reportera: _____

Manny: _____

Reportera: _____

Manny: _____

_____

_____

Reportera: _____

Manny: _____

Reportera: _____

Manny: _____

_____

Reportera: _____

_____

Manny: _____

Para cada oración, escribe la mejor palabra en el espacio en blanco.

1. La mota y el soplón son _____. drogas / individuos / argot / descripciones

2. "Llorón" y "cabezón" son _____. cumplidos / insultos / elogios / onomatopeya

3. La mandíbula y las sienes son partes del _____. ombligo / rostro / cerebro / muslo

4. Las _____ típicamente son verdes. repisas / esculturas / mangueras / hinchas

5. _____ es una persona. el chaleco / el chamaco / la chamarra / la chimenea

6. _____ es un juego. las escondidas / los vaqueros / las tarjetas / los vuestros

7. _____ es un insecto. el alacrán / el ciempiés / la araña / el escarabajo

8. "_____" es un sinónimo de "destruir". apagar / arrasar / arañar / alabar

9. Tengo una _____ nueva para la oficina. grapadora / entrevista / cigüeña / sábana

10. "Achú" y "toc toc" son _____. jerga / errores / onomatopeya / símiles

11. H₂O₂ se llama "agua _____". hidrogenada / neutra / oxigenada / curativa

12. Los _____ duermen boca abajo. murciélagos / búhos / escarabajos / colibríes

13. El esposo de mi hijo es mi _____. ahijado / sobrino / yerno / compadre

14. _____ es un pez. la tuna / la tripa / la trucha / el renacuajo

15. Si necesitas ayuda emergente, grita "_____". socorro / sancocho / soso / sueño

16. Los _____ suelen llevar corbatas. plomeros / cajeros / peluqueros / periodistas

17. El _____ te ayuda a subir las escaleras. colchón / pasamanos / globo / pomo

18. Abrazo a mi tía para _____. temerla / saludarla / despedirla / amarla

19. "Le" y "les" se convierten en "_____" ante "lo, la, los, las". sa / se / si / so / su

20. _____ es sinónimo de "pero". menos / mas / culo / culata

Actividad #78

Sustituye cada preposición dada en **negrilla** por una palabra o frase sinónima. Sigue el modelo.

1. Esquió **por** (_durante_) nueve horas.

2. Mis tíos llegaron **por** (_____) tren.

3. ¿Puedo ayudarte **en** (_____) algo?

4. Votaron **por** (_____) el candidato con más experiencia ejecutiva.

5. Recorrimos la colina desde abajo **para** (_____) arriba.

6. Me senté **en** (_____) la mesa para cenar.

7. Vamos **por** (_____) agua, que tengo mucha sed.

8. Trabajo seis días **por** (_____) semana.

9. Llegamos al sitio del incidente **para** (_____) entender mejor lo que pasó.

10. Prefiero hacer ejercicio **por** (_____) la tarde, cuando hace más calor.

11. Tengo miedo **de** (_____) las arañas.

12. Se fue **para** (_____) el hotel hace rato, pero aún no ha llegado.

13. Tengo que terminar el proyecto **para** (_____) este viernes.

14. El ladrón se escapó **por** (_____) el campo de maíz.

15. Entró **a** (_____) la casa y empezó a cantar.

16. Lo he buscado **por** (_____) todas partes y no lo he podido encontrar.

17. – "Gracias por tu ayuda".

    – "**De** (_____) nada".

18. Trabajé **por** (_____) mi padre, porque le dolía la espalda.

19. Vamos a empezar **con** (_____) la investigación.

20. Al final, no pudimos ir a acampar **por** (_____) toda la nieve que había caído.

Actividad #79

Para cada oración, escribe la mejor respuesta en el espacio en blanco.

1. Todas son dimensiones excepto _____.

    a. la largura   b. la anchura   c. la altura   d. la figura

2. Los dientes sirven para hacer todo menos _____.

    a. moler   b. mimar   c. masticar   d. morder

3. Todas son señales de tránsito salvo _____.

    a. ALTO   b. ADELANTE   c. CEDA EL PASO   d. SENTIDO ÚNICO

4. Todos son bebidas alcohólicas excepto _____.

    a. el jerez   b. el tequila   c. la resaca   d. el ron

5. Puedes pagar una cuenta con todos menos _____.

    a. cambio   b. tarjeta de débito   c. billetes   d. monedas

6. Puedes describir el color de algo con todos excepto _____.

    a. anaranjado   b. anaranjada   c. naranjo   d. naranja

7. Se puede limpiar el piso de madera con todos menos _____.

    a. un martillo   b. una escoba   c. un trapo   d. un trapeador

8. Todos son pedales de coche menos _____.

    a. el acelerador   b. el embrague   c. la palanca   d. el freno

9. Todos pueden describir la superficie de algo salvo _____.

    a. blanda   b. áspera   c. plana   d. trasera

10. Todos son nombres cuya forma adjetival representa su color menos _____.

    a. rosa   b. blanco   c. café   d. púrpura

Completa cada situación **hipotética** llenando el espacio en blanco con la conjugación correcta del verbo entre paréntesis. ¡Ojo! Los demás verbos te darán una pista.

1. Yo no _____ eso aun si me pagaras un millón de dólares. (comer)

2. Si él me _____ lo que iba a hacer, yo no lo habría acompañado. (decir)

3. Si me _____ ayer, no estaría teniendo problemas ahora. (preparar)

4. Las fotos solo cabrían en esa caja si nosotros las _____. (plegar)

5. ¿Irías a la competencia si yo te _____ que iba a competir? (asegurar)

6. ¿Te habría gustado el concierto si no _____ esa canción? (tocar)

7. Es tan pacífico que no _____ daño a nadie ni en defensa propia. (hacer)

8. Yo _____ la radio si no tuviera tantos comerciales. (poner)

9. Ella le daría todo a su primo si _____ que él lo apreciaría. (saber)

10. Les gustaría la pasta si no _____ tantas aceitunas. (haber)

11. No _____ ningún problema si no te quejaras cada dos por tres. (haber)

12. La lagartija _____ si la guardaras en esa caja de zapatos. (morir)

13. ¿A quién le importaría si tú y yo no _____ a la fiesta? (ir)

14. Habríamos llegado tarde si yo te _____ caso. (hacer)

15. Ella te lo habría acomodado si se lo _____. (pedir)

16. Valdría la pena ir si más gente _____ asistir. (querer)

17. Me _____ igual si ellos revelaran todos sus secretos. (dar)

18. Yo _____ peor si no hubiera tomado esa medicina. (sentirse)

19. Puerto Rico contaría con dos senadores si _____ estado. (hacerse)

20. No compraría tanta ropa si su familia no _____ tan grande. (ser)

Actividad #81

Indica si las acciones siguientes son buenas ideas o malas ideas.

	buena idea	mala idea
1. Que comas sushi con algas, anguila y pollo crudos.	_____	_____
2. Que dejes que tu amigo borracho te tatúe en una fiesta.	_____	_____
3. Que uno lleve puesta ropa interior cuando está en la oficina.	_____	_____
4. Que te des una duchita antes de bañarte en la pisci pública.	_____	_____
5. Que uno maneje un carro estando descalzo.	_____	_____
6. Que pises arena caliente en chanclas.	_____	_____
7. Que uno venda su casa para pagar un vuelo al espacio sideral.	_____	_____
8. Que tu neumólogo te extirpe la vesícula biliar si está infectada.	_____	_____
9. Que acuestes boca abajo a tu recién nacida.	_____	_____
10. Que brinques del tejado porque tus amigos te han desafiado.	_____	_____
11. Que pongas el clima a 68 grados Fahrenheit en el verano.	_____	_____
12. Que uno recicle todo lo que se pueda.	_____	_____
13. Que logremos equilibrio entre economías y el medioambiente.	_____	_____
14. Que le des una paliza a alguien que haya insultado a tu novia.	_____	_____
15. Que uno agarre por su mango una sartén caliente.	_____	_____
16. Que borres los datos personales de tu compu antes de donarla.	_____	_____
17. Que guardes rencores contra los que te hayan hecho daño.	_____	_____
18. Que bebas agua a lo largo del día.	_____	_____
19. Que uno vaya a la oficina para trabajar cuando está enfermo.	_____	_____
20. Que te quejes cada vez que seas derrotado.	_____	_____
21. Que uno se estire después de hacer ejercicio prolongado.	_____	_____
22. Que uno descuide de su pasaporte estando en otro país.	_____	_____
23. Que celebres tus logros a pesar de tus fracasos.	_____	_____
24. Que uno cante porque le gusta, aunque cante mal.	_____	_____
25. Que te muerdas la lengua en sentido literal cuando te ofenden.	_____	_____
26. Que pases por alto los pormenores importantes de tu trabajo.	_____	_____
27. Que uno aprenda de sus propias equivocaciones.	_____	_____

Para formar cada oración, cambia el orden de palabras y puntuación para que tenga sentido.

1. un cómprate y ubícate mapa .

_____

2. cualquier lago llevar un salvavidas el , se puesto para actividad en debe chaleco.

_____

_____

3. coche huevo haberle costado debió ese un .

_____

4. mi de maestro lo que piensas es más listo tú .

_____

5. que pase tuyo lo , lado estaré pase al .

_____

6. queda a cojamos de mejor teatro doce aquí que es taxi manzanas el que , así un .

_____

_____

7. suficiente todos lamentablemente los no comida desamparados para hubo .

_____

8. el carretera por suerte evitó en golpes de puros la embotellamiento .

_____

9. poco presentar igual profundo me así lo que verlos es dicen , que da .

_____

10. cortinas a las prendieron casa y fuego volvió ceniza se toda la .

_____

Actividad #83

Para cada verbo conjugado, escribe el sujeto, el tiempo verbal, el modo y su infinitivo.

1. **pondremos**   sujeto _____   tiempo verbal _____

   infinitivo _____   modo _____

_____

2. **dieron**   sujeto _____   tiempo verbal _____

   infinitivo _____   modo _____

_____

3. **seamos**   sujeto _____   tiempo verbal _____

   infinitivo _____   modo _____

_____

4. **hubieron**   sujeto _____   tiempo verbal _____

   infinitivo _____   modo _____

_____

5. **quitémonos**   sujeto _____   tiempo verbal _____

   infinitivo _____   modo _____

_____

6. **despidió**   sujeto _____   tiempo verbal _____

   infinitivo _____   modo _____

_____

7. **haz**   sujeto _____   tiempo verbal _____

   infinitivo _____   modo _____

_____

Actividad #84

Lee las descripciones siguientes y escribe palabras o términos con los cuales pueden corresponder.

1. Es hielo que cae del cielo en forma de grano durante días veraniegos calurosos. Es duro y de tamaños variables y normalmente es acompañado de relámpago: _____

2. Es un estado de una región geográfica cualquiera caracterizado por una falta de lluvias a lo largo de mucho tiempo: _____

3. Es un producto higiénico que la gente se aplica a las axilas para matar bacterias y hongos con el fin de evitar un olor corporal que puede resultar ser desagradable: _____

4. Es una clase de joyería en forma de un aro. Típicamente está hecha de un metal precioso y se puede adornar con joyas. Tradicionalmente se lleva puesta en un dedo de la mano: _____

5. Es un tipo de premio que se le otorga a alguien por haber logrado cierto objetivo. Generalmente cuenta con una base plana y una figura metálica que representa dicho logro: _____

6. Es un animal lanar que se alimenta de hierba. Es dócil y tradicionalmente criado por un pastor entre un rebaño. En algunas culturas es apreciado por su carne y leche: _____

7. Es una escultura, obra arquitectónica u otra construcción de valor histórico que se expone públicamente con el fin de rendir homenaje a una persona o a un acto: _____

8. Es una municipalidad que sirve como sede financiera y/o política de un estado, provincia, territorio o país: _____

9. Es el conjunto de ventajas laborales que se les ofrecen a los empleados aparte del sueldo. Suele comprender vacaciones pagadas y seguro médico, entre otras: _____

10. Es una persona cuyo oficio trata de medir, cortar, coser y enmendar trajes y otras prendas de vestir, generalmente para hombres: _____

… generalmente para mujeres: _____

Identifica la conexión entre los primeros dos términos y termina el patrón de los pares que siguen.

1. escritura → escritor; lectura → _____; agricultura → _____

2. gritar → gritón; chillar → _____; llorar → _____

3. fascinar → fascinante; intimidar → _____; participar → _____

4. ayunar → desayunar; hacer → _____; vestir → _____

5. tener → tuve; obtener → _____; sostener → _____

6. poner → puesto; oponer → _____; suponer → _____

7. estúpido → estupidez; fluido → _____; rápido → _____

8. capaz → capacidad; locuaz → _____; vivaz → _____

9. religión → religioso; _____ → contagioso; ambición → _____

10. salir → la salida; partir → _____; ir → _____

11. entrar → la entrada; parar → _____; escapar → _____

12. inglés → inglesa; escocés → _____; irlandés → _____

13. abrir → abierto; cubrir → _____; descubrir → _____

14. conducir → conduje; _____ → induje; traducir → _____

15. volver → vuelto; _____ → disuelto; resolver → _____

16. saber → caber; supe → _____; sepa → _____

17. hacer → hago; satisfacer → _____; yacer → _____

18. complacer → complazco; nacer → _____; yacer → _____

19. traer → traigo; _____ → raigo; caer → _____

20. influir → influyo; _____ → atribuyo; intuir → _____

Actividad #86

Convierte los sustantivos simples en sustantivos compuestos uniéndolos a un verbo. ¡Ojo! Tendrás que utilizar algunos verbos más de una vez. Sigue el modelo.

Sustantivos: pájaro, lata, corcho, plato, uña, césped, papel, mantel, parabrisas, ~~cielo~~, botella, año, punta, vida, mano, cabeza, ropa, mantel

Infinitivos: rascar, abrir, cumplir, guardar, sacar, lavar, espantar, cortar, pasar, sujetar, salvar, limpiar, romper

	sustantivo compuesto singular	**sustantivo compuesto plural**
1.	el rascacielos	los rascacielos
2.		
3.		
4.		
5.		
6.		
7.		
8.		
9.		
10.		
11.		
12.		
13.		
14.		
15.		
16.		
17.		
18.		

Actividad #87

Completa la tabla con las formas indicadas del verbo *decir*.

el presente del indicativo   **el presente del subjuntivo**

_____   _____ | _____   _____

_____   _____ | _____   _____

_____   _____ | _____   _____

el imperfecto del indicativo   **el imperfecto del subjuntivo (ra)**

_____   _____ | _____   _____

_____   _____ | _____   _____

_____   _____ | _____   _____

el pretérito del indicativo   **el imperfecto del subjuntivo (se)**

_____   _____ | _____   _____

_____   _____ | _____   _____

_____   _____ | _____   _____

el futuro simple del indicativo   **el imperativo**

_____   _____ | _____

_____   _____ | _____   _____

_____   _____ | _____   _____

el condicional del indicativo   **el gerundio**   **el participio pasado**

_____   _____ | _____   _____

_____   _____ |

_____   _____ |

Todas las oraciones siguientes contienen por lo menos un error ortográfico. Reescribe las oraciones corrigiendo todos los errores que identifiques.

1. Ayer yo hable con mi tia y me dijo que no queria ir sola.

_____

2. Nececito siete o ocho voluntarios para el projecto.

_____

3. Hay como sies o siete cajas en el garage y quiero donar todas.

_____

4. Algunos pinguinos están en peligro de extincción.

_____

5. Recommiendo que lleges temprano porque las entradas se venden pronto.

_____

6. Fuí a la fiesta, pero no te vi alli.

_____

7. No se nada de francés, así que tengo que empezar desde zero.

_____

8. No he ahorado mucho dinero, porque he tenido que comprar cosas para la esquela.

_____

9. Vamos a remodelar todos los banos eccepto el del sotano.

_____

10. No lo puedo entender bien porque su accento es muy fuerte.

_____

Actividad #89

Dale un buen principio a cada oración basado en el fin que se da.

1. _____

_____, así que no te quejes cuando fracases.

2. _____

_____, así que creo que se merecen un poco más de respeto.

3. _____

_____ y así es como logré ganar tanta lana.

4. _____

_____, pero todo eso es pura conjetura.

5. _____

_____ y cuando regresé a casa, me tumbé en la cama y dormí por como quince horas.

6. _____

_____, pero eso no significa que yo no esté molesta contigo todavía.

7. _____

_____ así que es problema suyo si sigue enfadado.

8. _____

_____ y es por eso que estamos tan agradecidos.

9. _____

_____, así que no me quedó otro remedio que despedirlo.

10. _____

_____, pero no esperes que yo vuelva a hacerlo cada vez.

Actividad #90

Lee la lectura siguiente y llena cada hueco con un vocablo lógico según el contexto. ¡Ojo! Habrá múltiples posibilidades. La idea no es tener razón, sino explorar el uso del idioma y retarse.

Hoy es el primer día de clases en mi nueva escuela y no sé si estoy _____.

Lo que sí sé es que estoy _____ por enfrentar nuevos _____,

pero también estoy un poco _____. Estoy en mi penúltimo año de preparatoria,

pero como soy nuevo aquí, me siento como si fuera un estudiante de primer año.

Ayer, asistí a una _____ de orientación con todos los estudiantes nuevos y

la mayoría era de primer año, así que me sentí muy _____. Me dieron mi nueva

_____ con mi foto y todo y hablaron de las muchas _____

que tendríamos de aprender cosas nuevas, _____ nuevos amigos, participar en

nuevos _____ y explorar un _____ nuevo. Creo que al

_____ habían dicho la palabra "nuevo" más de cien _____.

También nos dio una gira por todo el _____, mostrándonos dónde

_____ los baños, el _____, el _____, entre

otros lugares. Después de la gira, tuvimos un mini _____ donde pasamos diez

_____ en cada clase, _____ a nuestros maestros e

imaginándonos cómo sería un día _____.

Normalmente, al principio de cada año, nos dan una lista de _____

escolares que necesitamos comprar como _____, lápices, _____,

_____ y otras cosas _____. Pero este año, no vi ninguna lista

en el _____ web y, por mí, está bien porque pienso que _____

tengo todo lo que voy a _____. Bueno, ahora me toca _____,

que no quiero _____ tarde mi primer día. ¡Chao, pescao!

Actividad #91

Para cada sonido fonético, escribe una palabra que lo contenga.

ga	gue
go	gui
gu	

ja	ge / je
jo	gi / ji
ju	

gua	güe
guo	güi
~~guu~~	

ca	que
co	qui
cu	

za	ce / ~~ze~~
zo	ci / ~~zi~~
zu	

1. (ga) _____ (gue) _____

   (go) _____ (gui) _____

   (gu) _____

2. (ja) _____ (ge) _____

   (jo) _____ (je) _____

   (ju) _____ (gi) _____

   (ji) _____

3. (gua) _____ (güe) _____

   (guo) _____ (güi) _____

4. (ca) _____ (que) _____

   (co) _____ (qui) _____

   (cu) _____

5. (za) _____ (ce) _____

   (zo) _____ (ci) _____

   (zu) _____

Hagamos poesía. Termina cada estrofa con un verso acorde con la rima indicada. Ni tú ni yo somos Pablo Neruda así que no te preocupes de escribir algo profundo. Nomás diviértete.

1. Lola Lerma lambe limonada (A)
   Míriam Mora mastica mermelada (A)
   Nina Najera no niega nada (A)

   _____ (A)

2. Paciencia, me dijo, (A)
   Era una virtud (B)
   Y como su hijo (A)

   _____ (B)

3. Habían encendido la mecha (A)
   El reloj los apresuraba (B)
   Había llegado la fecha (A)

   _____ (B)

4. Fue Lancelot el caballero (A)
   Quien afrontó al dragón (B)
   Pero fue Merlín el hechicero (A)

   _____ (B)

5. Los paleontólogos estudian los fósiles (A)
   Los arqueólogos la antigüedad (B)
   Seguramente sus trabajos no son fáciles (A)

   _____ (B)

6. El pelirrojo no tenía antojo (A)
   De ninguna comida con ajo (A)
   De la lasaña dijo "paso" (B)
   La cena fue un fracaso (B)

   _____ (A)

Reescribe las oraciones siguientes cambiando la voz pasiva por la voz activa. Si no hay sujeto escrito para la voz activa, por la naturaleza de la voz pasiva, tendrás que inventar uno lógico.

1. Los últimos dinosaurios fueron extinguidos por un asteroide hace 66 millones de años.

_____

2. La ropa tendida se secará bajo el sol.

_____

3. Los guerrilleros habían sido armados por su propio gobierno.

_____

4. La estatua ha sido tumbada por los revolucionarios.

_____

5. El gato se asustó cuando los niños entraron.

_____

6. El concierto fue cancelado por la banda.

_____

7. Se me quebró un diente cuando la pelota me pegó en la boca.

_____

8. El puente peatonal fue construido por los ciudadanos.

_____

9. No creo que tu solicitud haya sido rechazada todavía.

_____

10. La misma mentira sigue siendo contada.

_____

Actividad #94

Propón algo que pueda ser descrita por cada set de adjetivos.

1. dulce pero picante: _____

2. viejo y cómodo: _____

3. altos y fuertes: _____

4. compleja y difícil: _____

5. molestosos pero importantes: _____

6. frío e indiferente: _____

7. moradas y bonitas: _____

8. temible y feroz: _____

9. débiles pero peligrosas: _____

10. pacientes y sabios: _____

11. aburridos y monótonos: _____

12. altas y majestuosas: _____

13. duros pero justos: _____

14. ineptos e inútiles: _____

15. pequeños pero destructivos: _____

16. profundas e informativas: _____

17. duro y resbaloso: _____

18. verde y frondoso: _____

19. malcriado y desafiante: _____

20. dulce pero nutritivo: _____

Escribe la cita directa correspondiente para cada cita indirecta. Toma en cuenta el tiempo verbal, la persona y cualquier otra palabra que indique tiempo (anoche, mañana) o espacio (aquí, ese).

1. Me dijiste que íbamos juntos esa noche.

   Le **dijo**: "_____".

2. ¿No le has dicho mil veces que no te interesa hacer paracaidismo?

   ¿Le **has dicho**: "_____"?

3. Me preguntó que qué horas eran.

   Te **preguntó**: "¿_____?"

4. Le expliqué que hacía más de dos años que no iba a ese parque.

   Le **dije**: "_____".

5. Me dijo que era tiempo de que se mudara.

   Me **dijo**: "_____".

6. Te dije que no anduvieras por ese barrio en la noche.

   Te **dije**: "_____".

7. Me dijiste que era imposible que termináramos el proyecto a tiempo.

   Te **dije**: "_____".

8. Te prometí que no tendría ningún inconveniente con eso.

   Me **dijiste**: "_____".

9. Le dijeron que tenía una cita a la 1:00 y que no llegara tarde.

   Le **dijeron**: "_____".

10. Mi mamá me dijo que me bañara antes de que vinieran mis amigos.

    Me **dijo**: "_____".

Actividad #96

Vosotros o vos. Completa la tabla con la forma de segunda persona familiar que falte. ¡Ojo! "Vos" solo se diferencia de "tú" en el **presente del indicativo** y las **formas afirmativas del imperativo**.

	vosotros/as	vos
1.	habláis	_____
2.	_____	perdoná
3.	escribís	_____
4.	comed	_____
5.	comedlos	_____
6.	_____	pagás
7.	_____	escogé
8.	fijaos	_____
9.	_____	inscribite
10.	veis	_____
11.	pasádmelo	_____
12.	decid	_____
13.	haced	_____
14.	os vestís	_____
15.	_____	sentate
16.	_____	salí
17.	vestíos	_____
18.	poned	_____
19.	_____	vas
20.	_____	sos

Actividad #97

Para cada oración, escribe la mejor respuesta en el espacio en blanco.

1. Todos son números ordinales salvo _____.

    a. segundo   b. cuatro   c. sexto   d. noveno

2. Todas estas preposiciones con pronombre son correctas excepto _____.

    a. en mí   b. para mí   c. con mí   d. de mí

3. Todas estas palabras existen menos _____.

    a. cualesquiera   b. dondequiera   c. porquequiera   d. quienquiera

4. Todos estos son superlativos salvo _____.

    a. el peor   b. buenísima   c. la más joven   d. el viejo

5. Todas estas exclamaciones son animadoras menos _____.

    a. ¡Échale ganas!   b. ¡Buena suerte!   c. ¡Basta ya!   d. ¡Ándale!

6. Todos son muebles de la casa excepto _____.

    a. el armario   b. el cómodo   c. la mesilla   d. la mecedora

7. Todos tienen un doctorado en medicina salvo _____.

    a. la neuróloga   b. el oftalmólogo   c. la uróloga   d. el farmacéutico

8. Todas estas palabras son de argot menos _____.

    a. el retrete (inodoro) b. el bote (cárcel)   c. la chela (cerveza)   d. la pachanga (fiesta)

9. Todas estas palabras son de segunda persona singular excepto _____.

    a. te   b. té   c. tu   d. tú

10. Todas estas equivalencias son ciertas menos _____.

    a. enviar = mandar   b. mandar = ordenar   c. ordenar = pedir   d. pedir = enviar

Actividad #98

Reescribe las siguientes oraciones en negativo, sustituyendo el indicativo del verbo subrayado por el subjuntivo correspondiente y cualquier otra palabra que sea necesaria (también/tampoco, etc.).

1. Hay algo que podemos hacer al respecto.

No hay nada que _____

2. Es que no lo he probado.

_____

3. Estaba claro que se habían equivocado.

_____

4. Me parece que fue Carlitos quien lo hizo.

_____

5. Se notaba que hacía demasiado calor.

_____

6. Es obvio que no terminarán a tiempo.

_____

7. Creo que iría, aunque no pagaran mi entrada.

_____

8. Está demostrado que el crimen se disminuye entre más programas sociales haya.

_____

9. Es cierto que antes del fin del siglo, las costas se habrán inundado.

_____

10. Admito que no lo habría podido hacer si no hubiera sido por tu ayuda.

_____

Actividad #99

Indica si, según tu educación, crees que el comportamiento indicado son buenos modales, malos modales o si da igual. No hay respuesta correcta; concéntrate en la comprensión.

	buenos modales	malos modales	da igual
1. Hablar con comida en la boca.	___	___	___
2. Llevar puesta una gorra en tu propia casa.	___	___	___
3. Dejar arriba el asiento del retrete después de usarlo.	___	___	___
4. Darle una propina a tu esposo/a cuando te sirve un café.	___	___	___
5. No comer toda la comida que te sirvió tu anfitrión en su casa.	___	___	___
6. Ordenar al agente del servicio al cliente: "dame", "ponlo", etc.	___	___	___
7. Cenar con los codos encima de la mesa.	___	___	___
8. Replicar un niño a su padre si dice algo que no tenga sentido.	___	___	___
9. Llevarte las sobras del postre que trajiste a la fiesta del anfitrión.	___	___	___
10. Tomar leche directamente del cartón si eres el único que la toma.	___	___	___
11. Ponerte de pie cuando un invitado entra en tu casa.	___	___	___
12. Sorber con ruido un caldo.	___	___	___
13. Darle la mano a una persona que acabas de conocer.	___	___	___
14. Comer con la boca abierta.	___	___	___
15. No saludar un niño a la vecina cuando sale a jugar con amigos.	___	___	___
16. Bajar la tapa del retrete después de usarlo en casa ajena.	___	___	___
17. Cenar con las manos debajo de la mesa.	___	___	___
18. Besarle la mano a una mujer que acabas de conocer.	___	___	___
19. Quitarse los zapatos al entrar en casa ajena sin que se le pida.	___	___	___
20. Hablar un muchacho solamente cuando los adultos le hablen.	___	___	___
21. Decirle a alguien que no te gusta la comida que va a preparar.	___	___	___
22. Escupir al plato un trozo de carne que no puedes masticar.	___	___	___
23. Dar un beso en el cachete a una mujer que acabas de conocer.	___	___	___
24. Saludar a tu vecino cuando sales a recoger el periódico.	___	___	___
25. Darle una propina a la persona que te entrega algo a tu casa.	___	___	___
26. Siendo tú un invitado, ponerte de pie cuando otro invitado entra.	___	___	___
27. Llevar una gorra puesta en el salón de clases.	___	___	___

Para formar cada oración, cambia el orden de palabras y puntuación para que tenga sentido.

1. duchando a tocó la contesté puerta pero vendedor , el me no porque estaba .

_____

2. platos pasta papa los o vegetal una o suelen un principales con contar carne , y .

_____

3. la día es otro la de la que muchacha te pelirroja hablé el .

_____

4. rival venció oro a la de trofeo en la y campeona su final ganó el .

_____

5. el sopló intentara y , pero por único niño más que escupir sopló lo pastel , que lo en logró fue el .

_____

_____

6. apuntado que segura había , mi la en de cita por agenda razón pero aparece estaba , alguna , no.

_____

_____

7. dormir de desperté alrededor me las volverme cuatro y conseguí media y no a .

_____

8. la ha copias se reunión fotocopiadora aún estropeado y me sacar las falta para la .

_____

9. costado quinientos no hubiera mil podría boleto vez cincuenta por si euros ido el , tal haber.

_____

10. foto que salió me última pasaporte sacaron la fatal para mi la vez .

_____

Actividad #101

"Pasar", "quedar", "llevar", "sacar" y "tomar" resultan ser problemáticos para hablantes nativos de inglés gracias a sus varios usos. Para cada contexto dado, escribe sinónimos del verbo subrayado.

1. Él pasó el examen. _____

2. ¿Qué pasó ayer? _____

3. ¿Pasó por la ventana? _____

4. ¿Me pasas la sal? _____

5. Quedó pasmado. _____

6. La tienda queda en la esquina. _____

7. Me gusta el libro; lo voy a quedar. _____

8. Yo me quedé en casa durante la tormenta. _____

9. Nunca llevo camisetas para trabajar. _____

10. Llevé a mi amigo a su trabajo. _____

11. Llevo más de veinte años (viviendo) aquí. _____

12. Ya he sacado la basura. _____

13. Él está sacando la pelota bien hoy. _____

14. ¿Sacas muchas fotos? _____

15. Saqué buenas notas este semestre. _____

16. ¿Me sacas una copia del documento? _____

17. No sacó apuntes en clase ayer. _____

18. No tomé bastante agua. _____

19. Tomé un examen ayer. _____

20. Tomé mucho tiempo en llegar. _____

21. Toma este libro, que lo vas a necesitar más tarde. _____

22. Tomó un taxi para ir al aeropuerto. _____

Actividad #102

Para cada verbo conjugado, escribe el sujeto, el tiempo verbal, el modo y su infinitivo.

1. **empaquemos**   sujeto _____   tiempo verbal _____

   infinitivo _____   modo _____

2. **podaron**   sujeto _____   tiempo verbal _____

   infinitivo _____   modo _____

3. **coso**   sujeto _____   tiempo verbal _____

   infinitivo _____   modo _____

4. **saldré**   sujeto _____   tiempo verbal _____

   infinitivo _____   modo _____

5. **han descrito**   sujeto _____   tiempo verbal _____

   infinitivo _____   modo _____

6. **fueses**   sujeto _____   tiempo verbal _____

   infinitivo _____   modo _____

7. **diera**   sujeto _____   tiempo verbal _____

   infinitivo _____   modo _____

Llena el hueco con la palabra que falta de cada acrónimo o siglas.

1. OVNI – **o**bjeto _____ **n**o **i**dentificado

2. NIP – **n**úmero de _____ **p**ersonal

3. EE. UU. – _____ **Unido**s

4. S. A. – _____ anónima

5. VIH – **v**irus de la **i**nmunodeficiencia _____

6. OPEP – **O**rganización de **P**aíses _____ de **P**etróleo

7. SIDA – **s**índrome de **i**nmuno**d**eficiencia _____

8. DVD – **d**isco **v**ersátil _____

9. RR. HH. – **r**ecurso**s** _____

10. OTAN – **O**rganización del _____ del **A**tlántico **N**orte

11. ONG – **o**rganización **n**o _____

12. TEPT – _____ de **e**strés **p**ostraumático

13. ADN – _____ **d**esoxirribo**n**ucleico

14. JJ. OO. – _____ **O**límpico**s**

15. IMC – **í**ndice de **m**asa _____

16. DIU – _____ **i**ntra**u**terino

17. SMSL – **s**índrome de la **m**uerte _____ del **l**actante

18. VPH – _____ del **p**apiloma **h**umano

19. RR. CC. – _____ **C**atólico**s**

20. PIB – **p**roducto _____ **b**ruto

Completa la tabla con las formas indicadas del verbo *ser*.

el presente del indicativo

_____ _____ | _____ _____

_____ _____ | _____ _____

_____ _____ | _____ _____

el imperfecto del indicativo

el presente del subjuntivo

el imperfecto del subjuntivo (ra)

_____ _____ | _____ _____

_____ _____ | _____ _____

_____ _____ | _____ _____

el pretérito del indicativo

el imperfecto del subjuntivo (se)

_____ _____ | _____ _____

_____ _____ | _____ _____

_____ _____ | _____ _____

el futuro simple del indicativo

el imperativo

_____ _____ | _____

_____ _____ | _____

_____ _____ | _____

el condicional del indicativo

el gerundio   **el participio pasado**

_____ _____ | _____

_____ _____ |

_____ _____ |

Actividad #105

Todas las oraciones siguientes contienen por lo menos un error ortográfico. Reescribe las oraciones corrigiendo todos los errores que identifiques.

1. Mi apartamiento está en el secondo piso.

_____

2. Necitamos investiguar un poco más antes de tomar una desición.

_____

3. Yo comparté un piso con el por un ano.

_____

4. Vimos en las noticías que el ladrón se escapó hacía nuestro vencindario.

_____

5. Mi tía está inferma y tengo que levarla al hospital.

_____

6. Es dificil llevantar esta mochilla con tantas cosas dentro.

_____

7. Estoy triste porque mi pero ha mierto hoy.

_____

8. Los gémelos abrierón sus regalos de cumpleanos.

_____

9. Mi padre y yo nos respectamos uno a otro y por eso sentimos una buena conección.

_____

10. Fuí al restarante para ceñar con mis cautes.

_____

Actividad #106

Para cada verbo, escribe una preposición que lo deba/pueda acompañar y da un ejemplo original. ¡Ojo! En algunos casos, se puede usar más de una preposición sin que se cambie el significado, pero, por lo general, el cambiar preposiciones cambia bastante el significado del concepto.

1. confiar _____ _____

_____

2. morir _____ _____

_____

3. aplicar _____ _____

_____

4. felicitar _____ _____

_____

5. enfrentarse _____ _____

_____

6. renunciar _____ _____

_____

7. dudar _____ _____

_____

8. tardar _____ _____

_____

9. creer _____ _____

_____

10. especializarse _____ _____

_____

Llena el espacio en blanco con la conjugación más apropiada de las opciones entre paréntesis.

Alguacil – ¿Jura Ud. decir la verdad, toda la verdad y nada más que la verdad?

Testigo – Sí, lo juro.

Jueza – Testigo suyo.

Abogado – Gracias, su señoría. Sr. Alborán, ¿qué conexión tiene con Restaurante Alborán?

Testigo – Soy el dueño.

Abogado – Y Ud. _____ (estuvo/estaba) allí aquella noche, ¿verdad?

Testigo – Sí, _____ (estuve/estaba) allí cuando todo _____ (ocurrió/ocurría).

Abogado – Tenga la bondad de contarle al jurado lo que recuerda de aquella noche y, por favor, escoja bien sus tiempos verbales para que el jurado pueda entender bien el orden de eventos.

Testigo – Vale. Pues fue allí en mi restaurante donde todo _____ (sucedió/sucedía). _____ (Fueron/Eran) las 11:00 pasadas y, gracias a dios, todos mis empleados ya se _____ (fueron/habían ido) ido. Yo _____ (estuve/estaba) solito a punto de cerrar la puerta con llave e irme para mi casa cuando me _____ (di/daba) cuenta de que _____ (dejé/había dejado) mis llaves en algún lugar de la cocina. Así que _____ (regresé/regresaba) para buscarlas. Mientras las _____ (busqué/buscaba), _____ (oí/oía) un ruidito en el techo que _____ (sonó/sonaba) a una herramienta eléctrica de algún tipo. _____ (supe/sabía) que _____ (hubo/había) unas oficinas allí arriba en el segundo piso del edificio que se _____ (rentaron/rentaban) de vez en cuando, pero _____ (creí/creía) que _____ (estuvieron/estaban) desocupadas en aquel entonces. No le _____ (di/daba) mucha importancia al principio, pero a medida que el ruido _____ (siguió/seguía), se me _____ (hizo/hacía) cada vez más fuerte. Como no se me _____ (ocurrió/ocurría) qué _____ (pudo/podía) estar pasando, _____ (decidí/decidía) salir para echar un vistazo arriba desde afuera. Cuando _____ (miré/miraba) hacia la ventana del segundo piso, _____ (vi/veía) que las luces _____ (estuvieron/estaban) apagadas. _____ (volví/volvía) a entrar, _____ (cerré/cerraba) la puerta con llave y _____ (llamé/llamaba) a la policía. Cuando _____ (contestaron/contestaban), les _____ (dije/decía) dónde _____

(estuve/estaba) y que _____ (oí/oía) ruidos raros como de construcción o

algo por el estilo. Me _____ (hicieron/hacían) unas cuantas preguntas más y

luego me _____ (dijeron/decían) que _____ (fueron/iban) a

mandar una patrulla para investigarlo.

Abogado – ¿Luego qué _____ (pasó/pasaba)?

Testigo – Mientras _____ (esperé/esperaba) a la policía, el ruido _____

(fue/era) tan fuerte que yo no _____ (pude/podía) pensar en otra cosa. De

repente el techo por encima de la cocina se _____ (abrió/abría) y tres hombres,

uno tras otro, _____ (cayeron/caían) al suelo. Yo _____

(quedé/quedaba) boquiabierto y paralizado. Cuando se _____ (pusieron/ponían)

de pie, _____ (noté/notaba) que dos _____ (portaron/portaban)

ametralladoras mientras que el otro _____ (sujetó/sujetaba) una escopeta y

una navaja, y los tres _____ (llevaron/llevaban) chalecos antibala y máscaras

que les _____ (cubrieron/cubrían) toda la cara salvo los ojos. Me

_____ (mandaron/mandaban) al suelo y _____ (cumplí/cumplía)

con la orden porque no _____ (quise/quería) provocarlos, pero sin que ellos se

dieran cuenta, _____ (saqué/sacaba) mi móvil y _____

(empecé/empezaba) a grabar todo para "estrimearlo" a través de las redes sociales como evidencia

por si yo no _____ (salí/salía) ileso al fin y al cabo.

Abogado – ¿Puede describir a los tres hombres?

Testigo – Esos tipos, por su forma de hablar, no me _____ (parecieron/parecían)

de ninguna pandilla, pero mi primera impresión _____ (fue/era) que _____

(fueron/eran) ladrones autónomos, quizá tipos exmilitares, que _____

(quisieron/querían) robarme el dinero del restaurante.

Abogado de los acusados – Protesto, su señoría. Es mera especulación.

Jueza – Ha lugar a la protesta. Miembros del jurado, no hagan caso.

Abogado – Vale. ¿Luego qué?

Testigo – Bueno pues, después de mandarme al suelo, ellos se me _____

(acercaron/acercaban) y me _____ (preguntaron/preguntaban) a gritos que

dónde _____ (quedó/quedaba) el banco, como si yo supiera a qué se

_____ (refirieron/referían). Me _____ (amenazaron/amenazaban)

y uno me _____ (golpeó/golpeaba) a puñetazos. Luego, me _____ (ató/ataba) las manos detrás de mi espalda con unas ligas de plástico y me _____ (vendó/vendaba) los ojos con un tipo de tela que _____ (apestó/apestaba) a humo de cigarro. Entre sus gritos y todo el caos y confusión, me _____ (enteré/enteraba) de que _____ (quisieron/habían querido) entrar al banco de al lado, pero no _____ (calculaban/habían calculado) bien la distancia desde el segundo piso. Aunque ellos no lo _____ (supieron/sabían), yo _____ (supe/sabía) que la patrulla _____ (llegó/llegaría) en seguida y que yo _____ (corrí/corría) el riesgo de que estos tipos me tomaran de rehén. Dándose cuenta de su pleno fracaso, _____ (dijeron/decían) que no _____ (hubo/había) remedio más que abandonar su plan. Los tres _____ (trataron/trataban) de huir por la puerta delantera pero no _____ (pudieron/habían podido) porque yo la _____ (cerraba/había cerrado) con llave. Justo en aquel momento, yo _____ (vi/veía) a través de la tela que me _____ (cubrió/cubría) los ojos que las luces de la patrulla se _____ (acercaron/acercaban). Me _____ (imaginé/había imaginado) que ellos también _____ (vieron/habían visto) las luces de la patrulla, porque les _____ (entró/entraba) el pánico. _____ (empezaron/empezaban) a decir cosas como que no _____ (quisieron/querían) volver al "bote" y que _____ (creyeron/creían) que "Chucho" _____ (fue/iba) a "soplar". Así es cómo me _____ (enteré/enteraba) de que uno de ellos se _____ (llamó/llamaba) Chucho. Los otros dos lo _____ (acusaron/acusaban) de querer estafarlos y de haber querido chantajearlos. Ese Chucho _____ (intentó/intentaba) convencerlos de que les _____ (fue/era) leal y que los dos _____ (pudieron/podían) confiar en él. De repente, _____ (oí/oía) que alguien _____ (tocó/tocaba) ligeramente a la puerta de vidrio con lo que se _____ (oyó/oía) como un palo de esos que los polis llevan consigo y _____ (vi/veía) una luz por la ventana como de una linterna. Los tres _____ (callaron/callaban) de inmediato y se _____ (tiraron/tiraban) al suelo. Luego _____ (empezaron/empezaban) a susurrar entre sí. Uno de los tres, Chucho, creo, _____ (susurró/susurraba) que la corte los _____ (condenó/condenaría) a cadena perpetua si la policía los

_____ (tomó/tomaba) presos. Así que _____ (decidieron/decidían) separarse. Chucho los _____ (mandó/mandaba) a escaparse por la puerta trasera, diciéndoles que él se _____ (ofreció/ofrecería) como el cabeza de turco. Los dos _____ (aceptaron/aceptaban), se _____ (dirigieron/dirigían) hacia el fondo del restaurante y _____ (huyeron/huían), haciendo sonar la alarma al abrir la puerta. Es cuando Chucho se me _____ (reveló/revelaba) como detective clandestino y se _____ (disculpó/disculpaba) mil veces por haberme pegado los puñetazos. Mientras él me _____ (quitó/quitaba) la venda y me _____ (desató/desataba) las manos, _____ (oí/oía) disparar una ametralladora y _____ (vi/veía) explotar la patrulla. La explosión _____ (hizo/hacía) estallar las grandes ventanas de enfrente y me _____ (azotó/azotaba) metralla y vidrio. El detective _____ (llamó/llamaba) por refuerzos policíacos y una ambulancia y _____ (salió/salía) por la puerta rota y es cuando _____ (desmayé/desmayaba). Me _____ (desperté/despertaba) en una cama en el hospital y el enfermero me _____ (dijo/decía) que yo _____ (pasé/había pasado) tres semanas en coma.

Abogado – ¿Y cómo se siente ahora?

Testigo – _____ (Me recuperé/Me he recuperado) bien, gracias.

Abogado – Me alegro. ¿Y qué _____ (pasó/ha pasado) con el video que _____ (grabó/ha grabado) aquella noche en su móvil?

Testigo – Lo _____ (entregué/he entregado) a la policía cuando me _____ (entrevistaban/habían entrevistado) en el hospital.

Abogado – Si le gustaría a la corte, veámoslo.

Jueza – Adelante…

Dale un buen principio a cada oración basado en el fin que se da.

1. _____

_____, pero te aseguro que esa fue la última vez.

2. _____

_____, pero lo comí de todas formas porque no quería ofender a nadie.

3. _____

_____, pero no le digas nada a ella porque no quiero que se avergüence.

4. _____

_____ y lo hice con mis propias manos, aunque no ellos no me lo crean.

5. _____

_____ y la verdad es que nunca había visto nada más placentero en toda mi vida.

6. _____

_____ y por más que le duela, tendrá que aguantarlo.

7. _____

_____ y no sabes cuánta pena sentí cuando se le quebró.

8. _____

_____, pero lo más curioso fue que me lo confesaron todo.

9. _____

_____ y me temo que nos hemos vuelto adictos.

10. _____

_____ y es así cómo terminé actuando en una peli junto a él.

Actividad #109

Es tiempo de "*Mad Libs*". Sin leer de antemano las historias a continuación, escribe dos distintas palabras creativas e interesantes que cumplan con la gramática indicada para cada número. Luego lee las historias, introduciendo las palabras que hayas escrito en los espacios correspondientes.

		Historia A	Historia B
1.	Parentesco femenino, sing.	_____	_____
2.	Animal de género femenino	_____	_____
3.	Mascota típica masc., plural	_____	_____
4.	Lugar urbano femenino	_____	_____
5.	Lugar urbano masculino	_____	_____
6.	Adjetivo femenino singular	_____	_____
7.	Lugar rural masculino plural	_____	_____
8.	Nombre de un país	_____	_____
9.	Verbo de acción (infinitivo)	_____	_____
10.	Verbo de acción (infinitivo)	_____	_____

Historia A:

Mi ____1____ buscaba adoptar una ____2____ porque se había puesto aburrida de todos sus ____3____. Así que fue a una ____4____, pero le dijeron que no tenían animales así. Luego fue a un ____5____ y preguntó por la ____2____ y le dijeron que ella parecía ____6____ y que saliera y nunca volviera. Así que decidió ir a buscarla en los ____7____ de ____8____ y, cuando llegó, se dio cuenta de que se le había olvidado ____9____ antes de salir y que tenía que ____10____. Así que, desde entonces, ha estado contenta con sus ____3____.

Historia B:

La ____1____ de mi amigo, cuya ____2____ siempre andaba suelta por su casa, la dejó escaparse el sábado pasado. La ____2____ corrió por todas partes y aun trató de jugar con los demás ____3____ de la ____4____, pero los ciudadanos la espantaron y la persiguieron hasta el ____5____ local. Como la ____2____ se puso ____6____, cuando por fin la atraparon, la mandaron a los ____7____ de ____8____. Y cuando la ____1____ de mi amigo se enteró de lo sucedido, empezó a ____9____ y decidió que no le quedaba más remedio que ____10____.

Reescribe las oraciones siguientes cambiando la voz pasiva por la voz activa. Si no hay sujeto escrito para la voz activa, por la naturaleza de la voz pasiva, tendrás que inventar uno lógico.

1. La tienda fue vandalizada por una banda de delincuentes.

_____

2. Por haber tomado malas decisiones, ellos se han metido en la cárcel.

_____

3. Se dice que no hace mucho calor aquí en el verano.

_____

4. Todas las canciones son escritas por los cantantes mismos.

_____

5. Cuando se es viejo, se es feliz.

_____

6. Me aburro en esa clase porque la maestra es aburrida no porque no me guste la materia.

_____

7. Las víctimas fueron rescatadas por los bomberos.

_____

8. Todos los bocadillos se sirven con medio pepinillo y un poquito de perejil.

_____

9. Esa manta fue tejida por mi tía abuela.

_____

10. La presentación se dio en línea.

_____

Para cada oración, escribe la mejor palabra en el espacio en blanco.

1. El anacardo y la almendra son _____. muebles finos / dulces duros / frutos secos

2. Se califica un ensayo con _____. clave / directriz / requisito / ejercicio

3. El tobillo y la muñeca son _____. juguetes / articulaciones / comidas / mascotas

4. El carbón y el petróleo son _____ fósiles. combustibles / recursos / dinosaurios

5. Los docentes, por definición, _____. incluyen / influyen / instruyen / intuyen

6. Se compran los _____ en el súper. muebles / abarrotes / mocasines / anuarios

7. Los alacranes son _____. insectos / mamíferos / arácnidos / peces

8. Se rompió el brazo y le pusieron una _____. curita / escayola / venda / soda

9. Tomaron el _____ al noveno piso. avión / avestruz / ascensor / azulejo

10. Los caracoles y los pulpos son _____. cactos / moluscos / cajones / tacaños

11. El robo y el asalto son _____. afecciones / cobertores / altibajos / delitos

12. La bomba _____ en camino. se estrelló / atropelló / estalló / se arrancó

13. La _____ limpió la casa de cabo a rabo. chismosa / criada / malcriada / chistosa

14. Dominio, reino, filo, clase, _____... género / orden / especie / familia

15. La _____ es un arma de fuego. escayola / escopeta / escultura / escalera

16. Las sílabas sin énfasis son las _____. tónicas / átonas / últimas / penúltimas

17. Si una palabra no monosilábica y sin acento termina en una vocal, *n* o *s*, la sílaba tónica es la
_____. última / penúltima / antepenúltima / trasantepenúltima

18. Si una palabra no monosilábica y sin acento termina en una consonante que no sea *n* o *s*, la

sílaba tónica es la _____. última / penúltima / antepenúltima / trasantepenúltima

19. Una palabra cuya sílaba tónica es la última es _____. aguda / esdrújula / llana

20. Una palabra cuya sílaba tónica es la penúltima es _____. esdrújula / llana / aguda

Actividad #112

Escribe la cita directa correspondiente para cada cita indirecta. Toma en cuenta el tiempo verbal, la persona y cualquier otra palabra que indique tiempo (anoche, mañana) o espacio (aquí, ese).

1. Nos dijo que habláramos de otra cosa.

   Nos **dijo**: "_____".

2. Le he dicho que no se preocupe.

   Me **dijo**: "_____".

3. Os dije que vinieseis cuando pudieseis.

   Os **dije**: "_____".

4. Siempre nos dice que no toquemos sus cosas.

   Siempre nos **dice**: "_____".

5. Nos preguntaron que si queríamos acompañarlos.

   Les **pregunté**: "¿_____?"

6. Les informé que yo no podía ir porque se me había olvidado comprar una entrada.

   Nos **dijo**: "_____".

7. Nos dijo que no le mintiéramos, que no iba a castigarnos.

   Nos **dijo**: "_____".

8. Le dijo que no le convenía vivir en la ciudad.

   Le **dijo**: "_____".

9. Les preguntó que por qué no habían hecho su tarea antes de la fecha tope.

   Nos **preguntó**: "¿_____?"

10. Les dije que no era buena idea que te lo hicieran.

    Les **dijo**: "_____".

Completa la tabla con las formas relacionadas que faltan. Puede que haya múltiples posibilidades.

	sustantivo	adjetivo	verbo
1.	la intimidación	intimidante	intimidar
2.	el entretenimiento		
3.			lamentar
4.	la disponibilidad		
5.		confidente	
6.		bendito	
7.			sangrar
8.		responsable	
9.	la admiración		
10.			sostener
11.	el terror		
12.		exigente	
13.			apestar
14.	el respeto		
15.		cansado	
16.			hinchar
17.	la distancia		
18.		filoso	
19.			doler
20.	la paz		

Actividad #114

Para cada oración, escribe la mejor respuesta en el espacio en blanco.

1. Todos fastidian menos _____.

    a. piedra en el zapato b. llaves perdidas   c. violín en el fondo   d. viento jugando al golf

2. Todos pueden volar excepto _____.

    a. las gaviotas   b. los gansos   c. el tiempo   d. los espantapájaros

3. Todos son automóviles salvo _____.

    a. los combis   b. los carruajes   c. las furgonetas   d. los camiones

4. Estos tipos son fiables excepto _____.

    a. los estafadores   b. los leales   c. los capaces   d. los responsables

5. Me caen gordos todos estos tipos menos _____.

    a. los hábiles   b. los imbéciles   c. los tramposos   d. los envidiosos

6. Todas son prendas de vestir salvo _____.

    a. las manoplas   b. las pantuflas   c. las cachuchas   d. las cachorras

7. Todos son comestibles excepto _____.

    a. los mejillones   b. las habichuelas   c. los riachuelos   d. las espinacas

8. Todos comen insectos menos _____.

    a. los guepardos   b. las gallinas   c. las ranas   d. las arañas

9. A menos que sea analfabeto, cualquiera puede leer todos menos _____.

    a. las revistas   b. los diarios   c. las hojas de té   d. los letreros

10. Todas estas palabras pueden usarse como adjetivos o adverbios salvo _____.

    a. bastante   b. demasiada   c. medio   d. mucho

Llena cada espacio en blanco con la forma correcta del verbo **haber**.

1. No quiero hacer senderismo esta tarde porque ya _____ hecho ejercicio hoy.

2. Mis colegas llamaron a un taxi porque _____ tomado demasiado.

3. Para el próximo martes, tendremos que _____ terminado el pase de diapositivas.

4. No te preocupes, que el Sr. Sánchez lo _____ hecho por ti.

5. Vosotros _____ tenido éxito si yo me hubiera quitado de en medio.

6. ¿Qué _____ hecho últimamente, hermano? Te ves muy bien.

7. Habría _____ más destrucción si no hubiéramos tomado precauciones.

8. ¿Qué _____ en tu mano, Tati? ¿Es un chicle?

9. _____ mucho ruido de construcción afuera cuando me desperté esta mañana.

10. ¿Cómo _____ estado desde la última vez que los vi?

11. No creo que _____ ninguna otra opción.

12. ¿Qué _____ de hacer para que mi jefe me promueva?

13. Piénsalo: de hoy en ocho, tú y yo _____ logrado lo imposible.

14. _____ un apagón el sábado y duró toda la noche.

15. Era triste que ellos no se _____ enterado de antemano.

16. Es posible que nosotros ya _____ llegado al final.

17. _____ hecho todo lo posible, al final, tuvimos que rendirnos.

18. ¿En qué se _____ metido? Fueron al baño hace más de media hora.

19. Piensa positivo: podría _____ sido peor.

20. Hace tanto tiempo, amigo. ¿Qué _____ de nuevo?

Actividad #116

Indica si los comentarios siguientes son absurdos o normales. Para los absurdos, a ver si puedes sustituir un vocablo para hacer el comentario normal.

	absurdo	normal
1. Temo tener que regresar al hospital.		
2. Los detectives arrestaron a los sospechoso en la redada.		
3. El juez sentenció al reo a cincuenta años en la guardería.		
4. Mis tíos venían a visitarme cada fin de semana.		
5. Tengo dos robles y un rosal en mi sótano.		
6. Llamé a la clínica ayer porque tenía mocos.		
7. Mi hermana es más alta que yo porque es menor.		
8. Prefiero que me mienta porque la verdad duele.		
9. Te apuesto diez pavos a que no te atreves a hablarle.		
10. Me dieron suero durante mi cirugía.		
11. Se me plegaron las sábanas.		
12. Ese tío es tan eficiente porque hace todo a paso de tortuga.		
13. No me abrocho el cinturón de seguridad porque es peligroso.		
14. No recuerdo la última vez que compré algo de un catálogo.		
15. Sufrió una herida mortal, pero se ha recuperado muy bien.		
16. No le hagas caso, que es un don nadie.		
17. Hola, estás encantada de conocerme.		
18. Me dedico a la farmacología porque odio las ciencias.		
19. Me da ampollas cuando corro en calcetines de algodón.		
20. Me arrepiento de haberlo dicho a bote pronto.		
21. El latino parquea su carro en la cochera.		
22. El español conduce su coche por la carretera.		
23. La respeto porque me trata como a otro cero a la izquierda.		
24. Los paramédicos le dieron auxilio a los ilesos.		
25. No coquetea con nadie por timidez, no por falta de interés.		
26. No quiero algo, gracias.		
27. ¿Por qué tienes cara de pocos amigos?		

Para formar cada oración, cambia el orden de palabras y puntuación para que tenga sentido.

1. allá invierno frío mudaron en mucho se hace porque no , aun el .

_____

2. se vamos seguir muy siente bien tener ella no sin así que a que .

_____

3. porque nos está tarde se haciendo apurémonos .

_____

4. te son mayonesa parezcan favoritas aunque las plátano mis asquerosas , tortas de con .

_____

5. ¿ una regales me curita que tienes ?

_____

6. a tres izquierda tuerce calle en por la recto la cuatro sigue principal y todo manzanas o .

_____

7. que el mañana tenemos única la lunes la disponible cita de que entra es a 8:00 las .

_____

8. endulzante prohibida bebida cualquier estar con artificial primarias escuelas debe en las .

_____

9. me paz mi descanse estropeó en reproductor se de DVD ; que .

_____

10. el con Sánchez me cumplir señor mencionó trámites tenía que nadie para tiempo los .

_____

Actividad #118

Para cada verbo conjugado, escribe el sujeto, el tiempo verbal, el modo y su infinitivo. Luego escribe una oración original utilizando el verbo conjugado en contexto.

1. **empiecen**   sujeto _____   tiempo verbal _____

   infinitivo _____   modo _____

   _____

2. **hagamos**   sujeto _____   tiempo verbal _____

   infinitivo _____   modo _____

   _____

3. **suela**   sujeto _____   tiempo verbal _____

   infinitivo _____   modo _____

   _____

4. **tenderás**   sujeto _____   tiempo verbal _____

   infinitivo _____   modo _____

   _____

5. **maldeciría**   sujeto _____   tiempo verbal _____

   infinitivo _____   modo _____

   _____

6. **retaras**   sujeto _____   tiempo verbal _____

   infinitivo _____   modo _____

   _____

7. **vierto**   sujeto _____   tiempo verbal _____

   infinitivo _____   modo _____

   _____

Actividad #119

Lee la lectura siguiente y llena cada hueco con un verbo lógico de la forma más lógica según el contexto. ¡Ojo! Habrá múltiples posibilidades. La idea no es tener razón, sino explorar el uso del idioma y retarse.

Saliendo de mi casa esta mañana para recoger el periódico, yo _____ que había algo blanco en uno de los arbustos que _____ un borde entre la banqueta y el zacate. _____ para mirarlo mejor y vi que _____ una hoja de papel y cuando la _____ del arbusto, vi que _____ información sobre un "gran reventón". Cuando _____ la vista, _____ que había varias hojas de papel por todas partes del barrio. Como _____ mucho viento anoche, _____ que el viento había tumbado uno de los basureros del barrio o algo así, pero, según _____, no había ningún basurero tumbado. Justo entonces, mi vecino _____ de su casa para checar su buzón y yo le _____ si él _____ de dónde habían venido todas esa hojas de papel. Él me _____ que no _____ la menor idea. Juntos, aunque él y yo solo _____ pijama y pantuflas, _____ por la calle de arriba abajo recogiendo todas las hojas.

Cuando habíamos recogido todas las que _____ ver, mi vecino _____ un vistazo al volante de la fiesta y me dijo: "oye, el 'gran reventón' _____ hoy mismo". Temiendo que un idiota fuera a dar una fiesta loca en nuestro barrio, con música a todo volumen hasta la madrugada, le pregunté en dónde _____ la fiesta. Mi vecino se rio y _____: "al parecer, el "gran reventón" _____ en la casa tuya". Yo también me reí, pensando que él _____ bromeando conmigo, pero resulta que él se había reído porque pensaba que el que _____ bromeando _____ yo. Cuando él me _____ el volante y vi que de verdad tenía publicada la dirección mía, _____ de inmediato quién _____ el culpable de esta horrenda broma: mi propio hijo. También es cuando yo _____ de que hoy era el 28 de diciembre: el Día de los Santos Inocentes, y yo el más inocente de todos.

Actividad #120

Describe los términos siguientes en tus propias palabras para que un/a joven hispanohablante que desconociera el concepto pudiera imaginárselo.

1. los patines: _____

_____

2. un maletín: _____

_____

3. la estantería: _____

_____

4. un aduanero: _____

_____

5. un billetero: _____

_____

6. una guardería infantil: _____

_____

7. un atasco: _____

_____

8. un infomercial: _____

_____

9. un oasis: _____

_____

10. un huracán: _____

_____

Completa la tabla con las formas indicadas del verbo *poder*.

el presente del indicativo　　　　　　　　　**el presente del subjuntivo**

_____ _____ | _____ _____

_____ _____ | _____ _____

_____ _____ | _____ _____

el imperfecto del indicativo　　　　　　**el imperfecto del subjuntivo (ra)**

_____ _____ | _____ _____

_____ _____ | _____ _____

_____ _____ | _____ _____

el pretérito del indicativo　　　　　　**el imperfecto del subjuntivo (se)**

_____ _____ | _____ _____

_____ _____ | _____ _____

_____ _____ | _____ _____

el futuro simple del indicativo　　　　　　　　**el imperativo**

_____ _____ |　　mandar a alguien a *poder* no es práctico

_____ _____ |

_____ _____ |

el condicional del indicativo　　　**el gerundio**　　　**el participio pasado**

_____ _____ | _____ _____

_____ _____ |

_____ _____ |

Todas las oraciones siguientes contienen por lo menos un error gramatical. Reescribe las oraciones corrigiendo todos los errores que identifiques.

1. ¿Conoces a alguien que puede ayudarme cambiar la batería de mi coche?

_____

2. Corrí alrededor el parque que está cerca mi casa.

_____

3. Esta es la mesa mi padre construyó cinco años pasados .

_____

4. Necesito que ir el supermercado comprar unos refrescos.

_____

5. Yo estudiaba español por dos meses mientras yo fui en Perú.

_____

6. ¿Sabes mi amigo Patricio? Es veinte años viejo.

_____

7. Debes ver mi casa nueva; la es muy bonita.

_____

8. Vi tu primo en la fiesta, pero yo no saludé él.

_____

9. Mi sobrino's gato es enfermo.

_____

10. Mi hija fue no contento cuando regresó a casa anoche.

_____

Para cada verbo, escribe una preposición que lo deba/pueda acompañar y da un ejemplo original. ¡Ojo! En algunos casos, se puede usar más de una preposición sin que se cambie el significado, pero, por lo general, el cambiar preposiciones cambia bastante el significado del concepto.

1. empezar _____ _____

_____

2. enojarse _____ _____

_____

3. cansarse _____ _____

_____

4. transformarse _____ _____

_____

5. reunirse _____ _____

_____

6. aprovecharse _____ _____

_____

7. disfrutar _____ _____

_____

8. tropezarse _____ _____

_____

9. interesarse _____ _____

_____

10. enterarse _____ _____

_____

Completa cada oración con una frase que tenga sentido.

1. Si veo a Yésica en la fiesta, te juro que _____

_____

2. Temo que, si no llegan a tiempo a la reunión, voy a tener que _____

_____

3. Ya llevo más de diez minutos mirando este cuadro y lo que no entiendo es _____

_____

4. Tengo malas noticias: fui al dentista esta mañana y _____

_____

5. Compré una nueva guitarra acústica pero no se lo digas a Arturo porque _____

_____

6. Lo que más me sorprende de todas las series nuevas de la tele es _____

_____

7. De todas las tarjetas deportivas que mi papá coleccionaba de joven, _____

_____

8. A lo largo de mi vida, más que nada, he aprendido que _____

_____

9. Fui a la farmacia solo para recoger mi recambio, pero, al fin de cuentas, terminé _____

_____

10. El calor y humedad nos trajeron una tormenta horrible de _____

_____

Hagamos poesía. Termina cada estrofa con un verso acorde con la rima indicada. Ni tú ni yo somos Pablo Neruda así que no te preocupes de escribir algo profundo. Nomás diviértete.

1. Entre amigos con derechos (A)
   Una trampa se tenderá (B)
   Entre amigos muy estrechos (A)

   _____ (B)

2. Las decisiones las hay que tomar (A)
   Por más difíciles que sean (B)
   Porque si uno opta por rehusar (A)

   _____ (B)

3. Compramos de segunda mano (A)
   Para conservar el medioambiente (B)
   Ojalá que no sea en vano (A)

   _____ (B)

4. Mi hermano me deseó buena suerte (A)
   Cuando no me sentía muy fuerte (A)
   Vencí a mi rival (B)
   Celebré en el festival (B)

   _____ (A)

5. De noche dormía con mi peluche (A)
   De día lo guardaba en un estuche (A)
   Un día lo perdí (B)
   Cuando fui a hacer pipí (B)

   _____ (A)

6. Ella dice: "en relación con" (A)
   Mientras que él: "con relación a" (B)
   Si cada quien es criticón (A)

   _____ (B)

Es tiempo de "*Mad Libs*". Sin leer de antemano la historia a continuación, escribe dos distintas palabras creativas e interesantes que cumplan con la gramática indicada para cada número. Luego lee la historia dos veces, introduciendo las palabras de cada versión en los huecos correspondientes.

	Versión A	Versión B
1. Nombre de pila femenino		
2. Adj. fem. plural (emoción)		
3. Adj. fem. plural (emoción)		
4. Lugar masculino		
5. Animal salvaje masculino		
6. Mascota femenina		
7. Adjetivo masculino singular		
8. Medio de transporte público		
9. Número cardinal		
10. Una comida en forma plural		
11. Número cardinal		
12. Animal exótico en plural		

_____1_____ acababa de ganar la lotería y se sentía muy _____2_____ y a la vez muy _____3_____ porque tenía grandes planes de viajar por todo el _____4_____ con su nueva fortuna, pero primero, le hacía falta hacer una cosa más antes emprender su viaje: adoptar un _____5_____. Ella ya tenía una _____6_____, pero quería tener un _____5_____ que la acompañara en su viaje. Casi todos le decían a _____1_____ que era sumamente _____7_____ adoptar un _____5_____, pero a ella le daba igual lo que dijeran; ella deseaba hacerlo y no había nadie que la disuadiera. Cuando llegó la hora de ir a la agencia de adopciones, _____1_____, junto con su _____6_____, se subieron al _____8_____ y se fueron. Cuando llegaron, el dueño de la agencia le dio unas instrucciones de cuidado mientras _____1_____ firmaba todos los documentos, pero qué susto le dio cuando por fin leyó la dieta diaria del _____5_____: _____9_____ libras de _____10_____ y _____11_____ libras de _____12_____. Dándose cuenta de que le costaría toda su fortuna alimentar al _____5_____, trató de rajarse, pero ya era demasiado tarde puesto que acababa de firmar los papeles. Así que, resignada a cuidar de su nuevo _____5_____, se subió de vuelta al _____8_____ con su _____6_____ y su nuevo _____5_____, volvió a casa y canceló su viaje.

Actividad #127

Reescribe las oraciones siguientes cambiando la voz activa por la voz pasiva: una vez usando "ser" y otra vez usando el "se pasivo".

1. Unos artesanos hacen a mano estos instrumentos utilizando materias crudas de la región.

(ser) _____

(se) _____

2. Una familia de mapaches destruyó el patio de madera cuando se instaló por debajo.

(ser) _____

(se) _____

3. Un minero descubrió por accidente la red de túneles cuando se perdió.

(ser) _____

(se) _____

4. La familia de la víctima perdonó al culpable porque veían se había arrepentido.

(ser) _____

(se) _____

5. El guarda del zoológico soltó a cuatro gorilas en algún tipo de protesta política.

(ser) _____

(se) _____

6. La tormenta tropical inundó los andenes del metro de miles de millones de galones de agua.

(ser) _____

(se) _____

Actividad #128

Propón al menos dos adjetivos para describir la **cosa** de cada situación.

1. Un **ramo** de flores podridas: _____

2. Un **político** mintiendo en la tele: _____

3. El único césped marrón de la calle: _____

4. Un taxi sin cinturones de seguridad: _____

5. Una calculadora científica: _____

6. Los símbolos de odio: _____

7. Una banda marchando al unísono: _____

8. Un robot sirviéndote en un restaurante: _____

9. Un vuelo sin escalas de quince horas: _____

10. El narcotráfico internacional: _____

11. El rascacielos más alto del mundo: _____

12. Excremento de paloma en el capó de tu carro: _____

13. Un presentimiento tuyo que se cumple: _____

14. Una pera madura: _____

15. Dios de una religión en la que no creas: _____

16. El villano principal de una película de acción: _____

17. Pajaritos jugando los unos con los otros: _____

18. Tu película favorita: _____

19. Los atletas de las Olimpiadas: _____

20. Un asiento de avión de primera clase: _____

Actividad #129

Parafrasea cada cita directa con una cita indirecta. Toma en cuenta el tiempo verbal, la persona y cualquier otra palabra que indique tiempo (anoche, mañana) o espacio (aquí, ese).

1. "Una detective me ha hecho mil preguntas sobre lo que pasó anoche".

   Me **dijo** que _____

2. "Vos sos muy talentosa".

   Me **dice** que _____

3. "No te preocupes de lavar los platos, que los lavaré yo cuando regrese".

   Me **dijiste** que _____

4. "Diga lo que diga, no le devuelvas la llamada".

   Él me **dijo** que _____

5. "Si llevo puesto mi suéter esta noche, tendré demasiado calor".

   Pensé que si _____

6. "Ya había cenado cuando me invitaste".

   Ella me **dijo** que _____

7. "Cuando era niño, no me gustaba ver películas en el cine".

   Me **dijo** que _____

8. "No se olviden de sus trajes de baño porque el hotel tiene una piscina".

   Nos **está** diciendo que _____

9. "Tengan cuidado porque los platos están calientes".

   Nos **dijo** que _____

10. "¿Tomarás el autobús?"

    Me **preguntaste** (que) si _____

Actividad #130

Para cada sustantivo o infinitivo, propón dos sinónimos. Sigue el modelo.

	sinónimo 1	**sinónimo 2**
1. el césped	el zacate	el pasto
2. el baño		
3. tirar		
4. la barriga		
5. alejarse		
6. la niña		
7. levantar		
8. el ático		
9. el coche		
10. irse		
11. enhorabuena		
12. halagar		
13. adepto		
14. hablar		
15. suceder		
16. el almuerzo		
17. la farmacia		
18. el dormitorio		
19. mandar		
20. la cara		

Actividad #131

Para cada oración, escribe la mejor palabra en el espacio en blanco.

1. Se barre el piso con una _____. escoba / sábana / cintura / grúa

2. Se fríen las papas en _____. ácido / aceite / ginebra / cuclillas

3. Yo _____ la llave para usar la manguera. prendí / torcí / abrí / partí

4. Las felicité _____ su graduación. de / en / por / para

5. Recorrió la calle de arriba _____. encima / abajo / en seguida / adelante

6. Está _____ porque no se ha casado. solo / único / soltero / solitario

7. El adjetivo posesivo de vosotros es _____. vos / vuestro / os / tus

8. "Antes muerta que _____". ridícula / aburrida / sencilla / fea

9. "El tiro salió por la _____". culebra / culata / culinaria / cumbre

10. El azufre es _____ y apestoso. amarillento / azulado / verdoso / incoloro

11. CEDA EL _____. PATIO / PINGÜINO / PASO / PEDAZO

12. Se le dificultó y se dio por _____. favor / vencida / el amor de dios / qué

13. Los árbitros e hinchas son _____. mamíferos / arácnidos / reptiles / peces

14. Veo las películas _____ con subtítulos. extrañas / extranjeras / exageradas

15. El pastor cuida de su _____. rebaño / manada / bandada / ganado

16. La tribu _____ homenaje a sus ancestros. cobra / compra / paga / vende

17. Nunca sonríe porque no quiere _____. orugas / arrugas / agruras / armaduras

18. Me _____ un ojo cuando bromeaba. guardaba / gritaba / guiñaba / gastaba

19. Sensibilidad a la luz es síntoma de _____. jarabe / jaqueca / panqueque / jamaica

20. Dormí en una colcha sin _____. sazones / sábanas / serruchos / sarampión

Actividad #132

Para cada región geográfica, escribe los adjetivos gentilicios oficiales.

	masculino(s)	femenino(s)
1. El Salvador		
2. Centroamérica		
3. Perú		
4. Bolivia		
5. Nicaragua		
6. Estados Unidos		
7. Costa Rica		
8. Norteamérica		
9. Guatemala		
10. Honduras		
11. Sudamérica		
12. España		
13. El Caribe		
14. Colombia		
15. República Dominicana		
16. Uruguay		
17. Europa		
18. Argentina		
19. Venezuela		
20. Chile		
21. Puerto Rico		
22. Ecuador		
23. Paraguay		
24. México		
25. Panamá		
26. Cuba		

Actividad #133

Escribe dos oraciones originales utilizando los adjetivos indicados y los verbos *ser* y *estar*. Asegúrate de dar suficiente contexto para que se note la diferencia.

1. (ser libre) _____

   (estar libre) _____

2. (ser vivo/a) _____

   (estar vivo/a) _____

3. (ser seguro/a) _____

   (estar seguro/a) _____

4. (ser listo/a) _____

   (estar listo/a) _____

5. (ser consciente) _____

   (estar consciente) _____

6. (ser verde) _____

   (estar verde) _____

7. (ser orgulloso/a) _____

   (estar orgulloso/a) _____

8. (ser aburrido/a) _____

   (estar aburrido/a) _____

9. (ser molesto/a) _____

   (estar molesto/a) _____

10. (ser malo/a) _____

    (estar malo/a) _____

Actividad #134

Para cada oración, escribe la mejor respuesta en el espacio en blanco.

1. Todos son materiales de oficina típicos excepto _____.

    a. los sujetapapeles   b. las engrapadoras   c. la cinta adhesiva   d. los flexómetros

2. Todos son acciones de los futbolistas durante los partidos menos _____.

    a. fingir   b. tirar   c. brincar   d. abuchear

3. Todos son unidades del sistema internacional menos _____.

    a. el gramo   b. la pulgada   c. el litro   d. el metro

4. Casi todos los sacos tienen todos excepto _____.

    a. bolsillos   b. solapas   c. un cuello   d. parches en los codos

5. Todos se suelen servir calientes menos _____.

    a. los vinos   b. las sopas   c. los tés   d. los arroces

6. Todas estas emociones normalmente se consideran negativas excepto _____.

    a. la rabia   b. la alegría   c. la molestia   d. la desilusión

7. Todas son bellas artes tradicionales menos _____.

    a. la pintura   b. la arquitectura   c. la música   d. la estatura

8. Todas estas cualidades normalmente se consideran positivas menos _____.

    a. la sensatez   b. la vanidad   c. la modestia   d. la lealtad

9. Todos son mandatos menos _____.

    a. pon   b. ten   c. sal   d. ven   e. va   f. haz

10. Todas estas son conjugaciones de múltiples verbos excepto _____.

    a. siento   b. di   c. ve   d. podemos   e. viste   f. vengan   g. dé   h. sé

Actividad #135

Para cada mandato, identifica el sujeto e indica si el mandato es afirmativo, negativo o los dos.

1. hablen (-ar)   tú _____ vosotros _____ Ud. _____ Uds. _✓_ afirm. _✓_ neg. _✓_

2. apoya (-ar)   tú _✓_ vosotros _____ Ud. _____ Uds. _____ afirm. _✓_ neg. _____

3. resuelvas (-er)   tú _____ vosotros _____ Ud. _____ Uds. _____ afirm. _____ neg. _____

4. tened   tú _____ vosotros _____ Ud. _____ Uds. _____ afirm. _____ neg. _____

5. búrlese   tú _____ vosotros _____ Ud. _____ Uds. _____ afirm. _____ neg. _____

6. enamórala   tú _____ vosotros _____ Ud. _____ Uds. _____ afirm. _____ neg. _____

7. os sentéis   tú _____ vosotros _____ Ud. _____ Uds. _____ afirm. _____ neg. _____

8. váyase   tú _____ vosotros _____ Ud. _____ Uds. _____ afirm. _____ neg. _____

9. salid   tú _____ vosotros _____ Ud. _____ Uds. _____ afirm. _____ neg. _____

10. la pongan   tú _____ vosotros _____ Ud. _____ Uds. _____ afirm. _____ neg. _____

11. haz   tú _____ vosotros _____ Ud. _____ Uds. _____ afirm. _____ neg. _____

12. lo piensen   tú _____ vosotros _____ Ud. _____ Uds. _____ afirm. _____ neg. _____

13. vea   tú _____ vosotros _____ Ud. _____ Uds. _____ afirm. _____ neg. _____

14. quédese   tú _____ vosotros _____ Ud. _____ Uds. _____ afirm. _____ neg. _____

15. llamadme   tú _____ vosotros _____ Ud. _____ Uds. _____ afirm. _____ neg. _____

16. cómanlas   tú _____ vosotros _____ Ud. _____ Uds. _____ afirm. _____ neg. _____

17. vengáis   tú _____ vosotros _____ Ud. _____ Uds. _____ afirm. _____ neg. _____

18. tráelos   tú _____ vosotros _____ Ud. _____ Uds. _____ afirm. _____ neg. _____

19. jueguen   tú _____ vosotros _____ Ud. _____ Uds. _____ afirm. _____ neg. _____

20. sacaos   tú _____ vosotros _____ Ud. _____ Uds. _____ afirm. _____ neg. _____

21. sean   tú _____ vosotros _____ Ud. _____ Uds. _____ afirm. _____ neg. _____

22. díganmelo   tú _____ vosotros _____ Ud. _____ Uds. _____ afirm. _____ neg. _____

23. divertíos   tú _____ vosotros _____ Ud. _____ Uds. _____ afirm. _____ neg. _____

24. sé   tú _____ vosotros _____ Ud. _____ Uds. _____ afirm. _____ neg. _____

25. láncela   tú _____ vosotros _____ Ud. _____ Uds. _____ afirm. _____ neg. _____

26. explícaselo   tú _____ vosotros _____ Ud. _____ Uds. _____ afirm. _____ neg. _____

27. se la deis   tú _____ vosotros _____ Ud. _____ Uds. _____ afirm. _____ neg. _____

Actividad #136

Indica si crees que los consejos siguientes son buenos o malos. Para los malos, cambia el "no" por "sí" y viceversa para hacerlos buenos y, claro, para practicar la construcción de los mandatos.

	buen consejo	mal consejo
1. Insultad a vuestros colegas.	___	___
2. Coman a diario al menos cinco porciones de frutas y vegetales.	___	___
3. Paga tarde el alquiler.	___	___
4. Gasta más dinero del que tengas.	___	___
5. No os pongáis las zapatillas antes de salir a correr.	___	___
6. Denle a su hija todo lo que pida.	___	___
7. Sé sensata.	___	___
8. Pide que la conserje bilingüe traduzca los documentos jurídicos.	___	___
9. Falta a clase con frecuencia.	___	___
10. Hacedle caso a su médica.	___	___
11. Sean bondadosos con todos los demás.	___	___
12. Trata de aprender algo nuevo cada semana.	___	___
13. Sed ingenuos.	___	___
14. Pórtate mal con tu familia.	___	___
15. Done su tiempo por el bien de los demás.	___	___
16. Deja que tus colegas se aprovechen de ti.	___	___
17. Compra impulsivamente a medianoche cosas inútiles.	___	___
18. No pierdas oportunidades por flojera.	___	___
19. Conduce recio.	___	___
20. Cuídate bien porque nadie más lo hará.	___	___
21. Permaneced sentados cuando.	___	___
22. No pongas atención durante la reunión.	___	___
23. No tomes demasiada agua.	___	___
24. Pela papas porque Pedro pica pimientos.	___	___
25. No escuches a los criticones.	___	___
26. Niégate a tomar decisiones importantes.	___	___
27. Preparaos bien para vuestro examen.	___	___

Para formar cada oración, cambia el orden de palabras y puntuación para que tenga sentido.

1. dijo salir no que me a qué supiera que hora que sabía avisaría tendría , pero cuando me .

_____

_____

2. bailaron mis toda abuelos la como adolescentes noche si fuesen .

_____

3. y la natación el muchos son diferentes dos los clavadismo , pero deportes compiten en .

_____

4. efectivamente pepino es sal un vinagre conservado el pepinillo en y .

_____

5. de ahorros consideran cuentas y cuentas las de las depósito cheques se cuentas de .

_____

6. ¿ decir oficina puedes cómo me a la de correos cercana llegar más ?

_____

7. señora robarle a intentaron armada , pero huyeron la a mano se cuando ella defendió .

_____

8. los en blanco los protegerlos troncos de árboles pintan hormigas para de las .

_____

9. libre farsa en las son universidades la es lucha profesionales ligas competitiva , pero las pura .

_____

_____

10. de espejo , pintaba oro niño en el ahora autorretratos y valen .

_____

Actividad #138

Para cada verbo conjugado, escribe el sujeto, el tiempo verbal, el modo y su infinitivo. Luego escribe una oración original utilizando el verbo conjugado en contexto.

1. **mantendrá**   sujeto _____   tiempo verbal _____

    infinitivo _____   modo _____

_____

2. **has yuxtapuesto**   sujeto _____   tiempo verbal _____

    infinitivo _____   modo _____

_____

3. **cupieron**   sujeto _____   tiempo verbal _____

    infinitivo _____   modo _____

_____

4. **frio**   sujeto _____   tiempo verbal _____

    infinitivo _____   modo _____

_____

5. **enciendo**   sujeto _____   tiempo verbal _____

    infinitivo _____   modo _____

_____

6. **sepáis**   sujeto _____   tiempo verbal _____

    infinitivo _____   modo _____

_____

7. **murieran**   sujeto _____   tiempo verbal _____

    infinitivo _____   modo _____

_____

Actividad #139

Llena el espacio en blanco con la conjugación más apropiada de las opciones entre paréntesis.

T – Guillermo, ¿recuerdas cuando _____ (fuimos/éramos) niños y

_____ (pizcamos/pizcábamos) zarzamoras de los arbustos silvestres que

_____ (quedaron/quedaban) por la calle cerca de mi casa?

G – Claro, y recuerdo la última vez que lo _____ (hicimos/hacíamos), también.

T – Ah, sí, es cuando me _____ (picó/picaba) esa viuda negra cuando

_____ (metí/metía) la mano en el arbusto para recoger la zarzamora que se me

_____ (cayó/había caído).

G – Tu mano se _____ (hinchó/hinchaba) tanto que no _____

(pudiste/podías) montar en bici a mi casa para decirle a mi mamá lo que te _____

(pasó/había pasado).

T – Bueno, aun creo que me _____ (desmayé/había desmayado) después de que

_____ (fuiste/ibas) a buscar socorro.

G – Yo _____ (tuve/tenía) tanto miedo de que _____

(morirías/murieras) antes de que yo _____ (regresé/regresara) con socorro.

T – Y ahora míranos: _____ (alcanzamos/hemos alcanzado) ser rucos. Ja ja ja.

G – Yo siempre _____ (habría/había) pensado que tú _____

(morirás/morirías) antes que yo, pero parece que me _____ (ganabas/has ganado).

T – Quizá, amigo, pero nadie sobrevive a la muerte. Nos alcanza a todos.

G – Y, Tomás, no es nada malo que me _____ (alcanzará/alcance) en mi propio

lecho, bien a gusto con mi mejor amigo a mi lado.

T – Nada malo, compa. Nada malo.

Actividad #140

Describe los términos siguientes en tus propias palabras para que un/a joven hispanohablante que desconociera el concepto pudiera imaginárselo.

1. un funeral: _____

_____

2. el vodka: _____

_____

3. un ventilador: _____

_____

4. un peaje: _____

_____

5. una secuela: _____

_____

6. el cobre: _____

_____

7. una colonoscopía: _____

_____

8. un/a intérprete: _____

_____

9. un rastrillo: _____

_____

10. el aire acondicionado: _____

_____

Completa la tabla con las formas indicadas del verbo *tener*.

el presente del indicativo   **el presente del subjuntivo**

_____ _____ | _____ _____

_____ _____ | _____ _____

_____ _____ | _____ _____

el imperfecto del indicativo   **el imperfecto del subjuntivo (ra)**

_____ _____ | _____ _____

_____ _____ | _____ _____

_____ _____ | _____ _____

el pretérito del indicativo   **el imperfecto del subjuntivo (se)**

_____ _____ | _____ _____

_____ _____ | _____ _____

_____ _____ | _____ _____

el futuro simple del indicativo   **el imperativo**

_____ _____ | _____

_____ _____ | _____

_____ _____ | _____

el condicional del indicativo   **el gerundio**   **el participio pasado**

_____ _____ | _____

_____ _____ |

_____ _____ |

Actividad #142

Todas las oraciones siguientes contienen por lo menos un error gramatical. Reescribe las oraciones corrigiendo todos los errores que identifiques.

1. Tienes más oportunidades que tú piensas.

_____

2. Maricarmen – "Me encantan los tacos al pastor". Judy – "Yo también".

_____

3. Conducí a la ciudad para mi entrevista ayer.

_____

4. Eres más inteligente que mí.

_____

5. Patri y Pablo trayeron enchiladas caseras a la fiesta.

_____

6. Yo conocí Jorge cuando él visitó mi papá en el hospital el año pasado.

_____

7. Tengo menos que cien dólares en mi cuenta de ahorros.

_____

8. ¿Qué estás haciendo el próximo fin de semana?

_____

9. ¿Me pasarás la mantequilla, por favor?

_____

10. Mi papá nos daba regalos a mi hermanito y yo.

_____

Actividad #143

Completa cada oración con una frase que tenga sentido.

1. No llegues tarde a clase, especialmente el primer día, porque _____

_____

2. Me dijo que nunca me traicionaría, pero no sé si puedo confiar en él porque _____

_____

3. Me lo dijo en alemán y, si no me equivoco, significa: _____

_____

4. Su superhéroe favorito es el Hombre Araña porque _____

_____

5. Mi recuerdo favorito de niña es cuando _____

_____

6. Se sometió a una cirugía para que le extirparan la vesícula biliar, pero el cirujano _____

_____

7. No me digas que no tengo buena memoria porque recordaré para siempre que tú _____

_____

8. Está convencida de que su novio es vampiro, pero lo que no ha tomado en cuenta es _____

_____

9. Si quieres evitar el embotellamiento diario de la carretera, recomiendo que _____

_____

10. Los paramédicos me dijeron que si yo no hubiera llamado al número de emergencia, _____

_____

Hagamos poesía. Termina cada estrofa con un verso acorde con la rima indicada. Ni tú ni yo somos Pablo Neruda así que no te preocupes de escribir algo profundo. Nomás diviértete.

1. Se dedica a la pasta (A)
   No de dientes ni de canasta (A)
   La que le gusta seguro basta (A)

   _____ (A)

2. A ti te queda súper bien (A)
   A mí me queda chica (B)
   Si se la vendo a alguien (A)

   _____ (B)

3. Un contratiempo nos ha surgido (A)
   Y nos hemos de apurar (B)
   La ruta que habíamos escogido (A)

   _____ (B)

4. Las guirnaldas adornan cada puerta (A)
   Excepto la de Paola Huerta (A)
   Últimamente es muy huraña (B)

   _____ (B)

5. Manny Muñoz (A)
   Qué bonita su voz (A)
   Pero cuando toca música (B)

   _____ (A)

6. La casa de Tomasa (A)
   Apenas es una carcasa (A)
   Menudo relieve (B)
   No protege de la nieve (B)

   _____ (A)

Actividad #145

Es tiempo de "*Mad Libs*". Sin leer de antemano las historias a continuación, escribe dos distintas palabras creativas e interesantes que cumplan con la gramática indicada para cada número. Luego lee las historias, introduciendo las palabras que hayas escrito en los espacios correspondientes.

	Historia A	Historia B
1. Verbo de acción (infinitivo)	_____	_____
2. Pertenencia personal	_____	_____
3. preposición	_____	_____
4. tipo de hábitat natural	_____	_____
5. Verbo de acción (infinitivo)	_____	_____
6. Adj. masc. sing. (emoción)	_____	_____
7. Verbo de acción (infinitivo)	_____	_____
8. Verbo de acción (infinitivo)	_____	_____
9. Verbo de acción (gerundio)	_____	_____
10. Adjetivo masculino singular	_____	_____

Historia A:

Topi quería ____1____ con su ____2____ ____3____ un/a ____4____. Yo sé que suena algo absurdo, pero "Topi" era un nombre raro y él era un ser aún más raro. Bueno, voy al grano. Topi llegó al/la ____4____ con su ____2____ y trató de ____1____. Pues claro que no resultó tal y como él se lo había imaginado. Lo primero que pasó fue que intentó ____5____, pero no pudo y eso lo puso bastante ____6____. Luego, trató de ____7____ su ____2____, pero tampoco pudo y eso sí que lo puso pero demasiado ____6____. Al final, se dio cuenta de que no le quedaba más remedio que ____8____ ____9____ y regresar a casa ____10____.

Historia B:

Bárbara Villarreal anhelaba ____1____ algún día con su mejor amigo, Joel Torrealba, y a ese también le interesaba. La razón por la cual nunca lo hicieron fue porque su ____2____ se le perdió ____3____ un/a ____4____ y nunca encontró ni el tiempo ni el dinero para comprarse otro. Un día, Joel decidió ____5____, habiéndose puesto ____6____, y aconsejó a Bárbara ____7____ y ____8____, pero mientras Joel estaba ____9____, se dio cuenta de que todo resultaría demasiado ____10____ y decidieron abandonar para siempre la idea de ____10____.

Actividad #146

Reescribe las oraciones siguientes cambiando la voz activa por la voz pasiva: una vez usando "ser" y otra vez usando el "se pasivo".

1. La gente habla múltiples idiomas en el mercado internacional.

(ser) _____

(se) _____

2. Hortensia Benavides pintó este cuadro en 2007.

(ser) _____

(se) _____

3. El gobierno ha protegido estas selvas para preservar el hábitat natural de los gorilas.

(ser) _____

(se) _____

4. Tocamos los instrumentos en el sótano para no fastidiar a los vecinos.

(ser) _____

(se) _____

5. Hemos cubierto con mantas las cajas de trastos para que nadie las vea.

(ser) _____

(se) _____

6. Los vientos violentos habían arrasado casi toda la aldea.

(ser) _____

(se) _____

Actividad #147

Primera reacción. ¿Cómo responderías ante las situaciones siguientes? Una simple frase bastará.

1. Tu mejor amiga te dice que está embarazada: _____

2. Tu jefe te dice que quiere hablar contigo "sobre un asunto": _____

3. Un cajero del súper te dice que va a renunciar: _____

4. Tu vecina te dice que tu hija fue despedida de su trabajo: _____

5. Te das cuenta de que acabas de pisarle el pie a alguien: _____

6. Acabas de realizar un salto de esquí muy difícil: _____

7. Tu empleado te dice que ha encontrado otro trabajo: _____

8. Tu tía te dice que le ha dado cáncer de seno: _____

9. Tu colega te dice que no durmió bien anoche: _____

10. Tu mejor amigo te informa que se casó ayer: _____

11. Tu mamá te dice que acaba de donar todos tus juguetes infantiles: _____

12. Tu vecino te dice que acaba de "rescatar" a un *pitbull*: _____

13. Tu amigo te dice que se le perdió el libro que le prestaste: _____

14. Tu vecino te presta la sierra de cadena que le pediste: _____

15. Tu mamá prepara una cena para ti y para tu pareja: _____

16. Tu colega te pide tu contraseña de un servicio *streaming*: _____

17. Tu vecina te dice que su sótano se inundó de agua anoche: _____

18. Tu amigo invita a toda la mesa en un restaurante caro: _____

19. Tu colega te dice que nadie es más trabajador que tú: _____

20. Tu jefa te pide prestado tu carro para ir al banco: _____

Actividad #148

Parafrasea cada cita directa con una cita indirecta. Toma en cuenta el tiempo verbal, la persona y cualquier otra palabra que indique tiempo (anoche, mañana) o espacio (aquí, ese).

1. "No te vayas antes de que desayunes".

    Me **dijiste** que _____

2. "¿Habrán terminado su proyecto antes del viernes que viene?"

    Ud. nos **preguntó** (que) si _____

3. "A qué hora empieza el espectáculo".

    Ella solo quería saber _____

4. "No se preocupen, chicos, que estoy seguro de que les encantará".

    Les **dije** que _____

5. "Hemos descubierto un alijo de narcóticos".

    Pensaron que _____, pero eran vitaminas.

6. "Los testigos nunca atestiguarán si temen por sus vidas".

    Dijo que _____

7. "El hecho de que lo hayas declarado no hace que sea cierto".

    Le **dije** que _____

8. "Venid a la hora queráis, pero la fiesta empezará a las 22:00".

    Les **dijo** que _____

9. "¿Os regalarán comida en el congreso o vais a salir para comprar algo?"

    Me preguntó si _____

10. "No sé si he hecho todo lo posible y es por eso que necesito la ayuda de todos ustedes".

    Nos **dijo** que _____

Tú o vos. Completa la tabla con la forma de segunda persona singular que falte. ¡Ojo! Solo se diferencian el uno del otro en el **presente del indicativo** y las **formas afirmativas del imperativo**.

	tú	**vos**
1.	vuelves	_____
2.	_____	mostrás
3.	compite	_____
4.	tuviste	_____
5.	te despides	_____
6.	_____	cocé
7.	_____	vertés
8.	esquías	_____
9.	_____	recomendá
10.	estás	_____
11.	practicas	_____
12.	fríe	_____
13.	contribuyes	_____
14.	pierdes	_____
15.	_____	leé
16.	_____	querés
17.	sigue	_____
18.	miraste	_____
19.	_____	vestite
20.	_____	entendés

Actividad #150

Completa estos dichos con las palabras que faltan.

1. Lola le dijo a Paco que él me gusta. ¡Trágame _____!

2. Para que no haya secretos, vamos a poner las _____ sobre la _____.

3. Trabajo por cuenta propia así que no tengo que _____ cuentas a nadie.

4. No sé si va a llover, pero cerremos las ventanas por si las _____.

5. Rompí con ella porque siempre que yo hablaba, me dejaba con la _____ en la boca.

6. Hazlos al mismo tiempo y así matarás dos _____ de un solo _____.

7. No nos adelantemos. No queremos _____ la casa por el _____.

8. No podrán correrla fácilmente porque luchará con _____ y _____.

9. Mi jefe está muy molesto así que he de _____ con pies de _____.

10. Lo despidieron porque lo agarraron con la mano en la _____.

11. Exactamente, amiga. Has dado en el _____.

12. Es muy acróbata y cuando entrena, está como _____ en el _____.

13. No lo entiendo para nada. No tiene ni _____ ni _____.

14. No te preocupes de él; no hará nada. Perro _____, poco _____.

15. Apúrense, chicos. El tiempo es _____.

16. Adriana es muy franca. Ella te dirá la verdad sin _____ en la _____.

17. Sé que he llegado tarde, pero más _____ tarde que _____, ¿no?

18. ¿Por qué Débora tiene _____ de _____ amigos? ¿Está brava?

19. Se queja igual que su papá. Bueno, es como dicen: de tal _____ tal _____.

20. No hables con ese idiota; no quieres echar _____ al _____.

Actividad #151

Escribe unas oraciones originales utilizando el sustantivo indicado y los verbos *haber*, *ser*, *estar* y *parecer*. Sigue el modelo.

1. **sofá**: ___Mira, **hay** un sofá en el sótano. **Es** viejo y **está** bastante sucio, pero me **parece** muy___

cómodo y útil.___

2. **vacas**: ___

___

3. **cosas**: ___

___

4. **vegetales**: ___

___

5. **herramientas**: ___

___

6. **profesor**: ___

___

7. **libros**: ___

___

8. **pájaros**: ___

___

9. **bebidas**: ___

___

10. **carro**: ___

___

Para cada oración, escribe la mejor respuesta en el espacio en blanco.

1. Todos típicamente se consideran una forma de diversión menos _____.

      a. pescar   b. tejer   c. recoger   d. bailar

2. Todas estas son formas correctas de presentarse excepto _____.

      a. mi nombre es…   b. me llamo es…   c. soy…   d. me llamo…

3. Todas son formas coloquiales (y despectivas) de decir "cosa", salvo _____.

      a. madre   b. quiste   c. broma   d. chisme

4. Se puede usar el participio pasado tras todos estos verbos menos _____.

      a. estar   b. haber   c. ser   d. poder

5. Todas estas palabras son masculinas menos _____.

      a. el coma   b. el alma   c. el problema   d. el dilema

6. Se cocina la comida de todas estas maneras excepto _____.

      a. al vapor   b. a la plancha   c. a quemarropa   d. a la parrilla

7. Todos suelen hacer referencia al tono de un color menos _____.

      a. oscuro   b. claro   c. vivo   d. muerto

8. Todos están permitidos en el voleibol durante la jugada excepto _____.

      a. patear la pelota   b. sacar la pelota   c. atrapar la pelota   d. golpear la pelota

9. Todos son bebidas menos _____.

      a. la ginebra   b. el zumo   c. la olla   d. la gaseosa

10. Todos son especias culinarias menos _____.

      a. el eneldo   b. el romero   c. la albahaca   d. el jengibre   e. el tobillo

Actividad #153

Llena cada espacio en blanco con la conjugación correcta en <u>el indicativo</u> o <u>el subjuntivo</u> del <u>imperfecto</u> de los verbos entre paréntesis.

1. Yo dudaba que tener que comer frutas les _____ a molestar. (ir)

2. Era importante que nosotros no _____ nuestra comida. (engullir)

3. Era posible que nuestros vecinos _____ pronto. (mudarse)

4. Buscaba empleo que me _____ teletrabajar, pero no sabía si había. (permitir)

5. Tú sabías que los mapaches _____ muy problemáticos en nuestro barrio. (ser)

6. Era obvio que nuestro vuelo _____ tarde. (llegar)

7. Tal vez _____ llovido, pero lo dudo. (haber)

8. Sé que es demasiado tarde, pero ¿tenías una pluma que me _____? (prestar)

9. ¿Me _____ tu pluma, por favor? (prestar)

10. No me parecía que _____ suficientes plumas para todos. (haber)

11. Por desesperado, aceptaría cualquier puesto que ellos le _____. (ofrecer)

12. Le pregunté si había una computadora que mi hija _____ ocupar. (poder)

13. Estaba convencida de que la aerolínea _____ perdido mis maletas. (haber)

14. Yo no suponía que vosotros _____ tiempo de jugar esta tarde. (tener)

15. No sé si había algo que _____ decirme, pero perdiste tu chance. (querer)

16. Ella no sabía que los eclipses solares _____ tan frecuentes. (ser)

17. Era triste que tanta gente _____ cada año en el invierno. (resbalarse)

18. Mi médica me decía que _____ más ejercicio, pero no quería. (hacer)

19. Yo le decía a mi médica que _____ mucho ejercicio, pero no me creía. (hacer)

20. Confesé que la ropa que llevaba puesta no _____ limpia. (estar)

Actividad #154

Indica si los comentarios siguientes son ciertos o falsos. Para los falsos, a ver si puedes sustituir un vocablo para hacer el comentario cierto.

	cierto	falso
1. Saturno no tenía sus anillos cuando vivían ciertos dinosaurios.	_____	_____
2. El esmalte cubre nuestros dientes.	_____	_____
3. La miel de abeja no es parte de la dieta vegana.	_____	_____
4. El esqueleto humano tiene más de doscientos cincuenta huesos.	_____	_____
5. La mayoría de las personas sin hogar son perezosas.	_____	_____
6. Los puertorriqueños son mexicanos.	_____	_____
7. Los guardaespaldas vigilan y protegen gente de alto perfil.	_____	_____
8. Mi tatarabuela es la abuela de mi mamá.	_____	_____
9. "De ahora en adelante" y "a partir de ahora" son sinónimos.	_____	_____
10. "Rehacer" significa "hacer otra vez".	_____	_____
11. Los granjeros viven tradicionalmente en los graneros.	_____	_____
12. Desde la Tierra, hay dos hasta cuatro eclipses solares cada año.	_____	_____
13. El puercoespín no es puerco ni tampoco tiene espinas.	_____	_____
14. El pescado no es parte de la dieta vegetariana.	_____	_____
15. "Repollo" significa "pollo otra vez".	_____	_____
16. Los glotones tienen garras de metal muy duro.	_____	_____
17. Las bacterias ocasionan las úlceras.	_____	_____
18. Las cobijas y sábanas son ejemplos de cubiertos.	_____	_____
19. Todos los gases son incoloros.	_____	_____
20. "Murciélago" es la única palabra en español con las 5 vocales.	_____	_____
21. Se puede rogar las plantas con una manguera.	_____	_____
22. Si mi carro es azul, pues soy yo la persona cuyo carro es azul.	_____	_____
23. Aries es el primer signo del Zodiaco y es un signo cardinal.	_____	_____
24. Dos hermanos comparten un 50 por ciento de su ADN entre sí.	_____	_____
25. Todos los pasaportes estadounidenses caducan cada 10 años.	_____	_____
26. El esposo de mi tía es mi tío.	_____	_____
27. Dos mellizos comparten un 50 por ciento de su ADN entre sí.	_____	_____

Actividad #155

Para formar cada oración, cambia el orden de palabras y puntuación para que tenga sentido.

1. presidente condenó a juez perdonó muerte a los pero el dos asesinos , el los .

_____

2. los de ejemplos son internacionales humanidad espaciales mejor buenos programas de lo la .

_____

_____

3. hay que pongamos encerrado mesa así parece las que gato la cartas sobre .

_____

4. se los vuelven cada ricos vez más pobres ricos pobres y cada los más vez .

_____

5. bombas peor humanidad es ejemplo un las buen de lo de nucleares la .

_____

6. la importante de pacientes los es confidencialidad sumamente .

_____

7. las políticas preparada se policía la manifestaciones motín volvieron un y capital la de no estaba .

_____

_____

8. me piso que en España para primer se llegar suba extraña al .

_____

9. hermano sangre té toma de presión bajar mi canela para su de .

_____

10. izquierdazo noqueó pegó un le fuertísimo pero , lo no .

_____

Actividad #156

Para cada verbo conjugado, escribe el sujeto, el tiempo verbal, el modo y su infinitivo. Luego escribe una oración original utilizando el verbo conjugado en contexto.

1. **siéntate**   sujeto _____   tiempo verbal _____

    infinitivo _____   modo _____

_____

2. **eligió**   sujeto _____   tiempo verbal _____

    infinitivo _____   modo _____

_____

3. **corrompen**   sujeto _____   tiempo verbal _____

    infinitivo _____   modo _____

_____

4. **recojamos**   sujeto _____   tiempo verbal _____

    infinitivo _____   modo _____

_____

5. **ha devuelto**   sujeto _____   tiempo verbal _____

    infinitivo _____   modo _____

_____

6. **hubiera impreso**   sujeto _____   tiempo verbal _____

    infinitivo _____   modo _____

_____

7. **maniobraba**   sujeto _____   tiempo verbal _____

    infinitivo _____   modo _____

_____

Actividad #157

Llena el espacio en blanco con la conjugación más apropiada de las opciones entre paréntesis.

Me llaman Frankie, pero mi acta de nacimiento dice Francisco. Francisco Molina Mendoza, si te interesa. Mis padres me _____ (criaron/criaban) en un barrio bastante seguro en las afueras de la ciudad, y me _____ (inculcaron/inculcaban) ciertos valores tales como la honestidad y la integridad y, según yo, esos valores son de lo más fundamental de una sociedad. Además de eso, ellos _____ (fomentaron/fomentaban) mi curiosidad por el mundo natural. La verdad _____ (es/está) que no sé si la curiosidad se puede enseñar. Tal vez o la tienes o no la tienes. ¿Por qué Saturno tiene anillos? ¿Los ha tenido desde siempre? ¿Por qué nadie _____ (sabe/conoce) cómo se reproducen las anguilas? ¿Cómo se formó la capa de ozono? ¿Por qué el azufre huele a huevos podridos? ¿O es al revés? ¿Por qué cierta gente tiene alergias a los cacahuates y otra gente no? ¿Por qué cierta gente cree en cualquier teoría de conspiración sin analizar si el argumento es verosímil? ¿Por qué cree esa gente que los demás somos las ovejas que siguen sin cuestionar? Cada vez que yo les _____ (pregunté/preguntaba) algo así a mis papás, me _____ (dirigieron/dirigían) a un juego de enciclopedias que _____ (tuvimos/teníamos) en la estantería en la sala. Ahora tenemos internet para eso, pero en aquella época, _____ (hubo/había) que abrir un libro para enterarse de tales cosas. Si no _____ (tuvieras/tenías) un juego de enciclopedias como nosotros, _____ (habrías/habías) de contar con tu biblioteca local si es que la _____ (era/había/estaba).

Las cosas _____ (eran/estaban) diferentes en mi escuela. Mis maestros no _____ (sabían/conocían) cómo contestar mis muchas preguntas y no sé si _____ (era/estaba) por vergüenza de no saber las respuestas a mis preguntas o simplemente porque no _____ (quisieron/querían) que yo

_____ (interrumpía/interrumpiera) la clase, pero, _____

(era/fuera) la que _____ (era/fuera) su razón, yo me _____

(metí/metía) en la dirección por "replicar" a los maestros más veces de las que quiero confesarte.

Tal vez no te extrañaría saber que _____ (llegué/llegaba) a ser

detective. Psico-detective, específicamente, si te interesa. Mis colegas me _____

(sabían/conocían) como el tipo que nunca _____ (sería/estaría) satisfecho hasta

que _____ (encontró/encontrara) una respuesta válida a su pregunta. No ha

habido misterio que no me _____ (ha/haya) interesado descubrir. "Frankie el

curioso", "Frankie el feroz", "Frankie el perseverante" y "Frankie la fiera"

_____ (son/están) algunos de los motes que mis colegas me han dado durante

mi carrera. Una carrera que _____ (duró/duraba) cuarenta y un años, si te

interesa. A partir de hoy, _____ (soy/estoy) jubilado. Mis colegas del

departamento de policía donde _____ (pasé/pasaba) casi toda mi carrera

profesional me _____ (dieron/daban) ayer una fiesta de despedida de trabajo y

_____ (fue/estuvo) muy bonita. Casi todos _____

(acudieron/acudían), incluso algunos de los sargentos que ya se _____

(han/habían) jubilado antes que yo. Los voy a extrañar, pero, aunque ya no tengo que trabajar más

para ganarme la vida, tengo muchos planes para cumplir, muchas curiosidades para explorar, mucha

vida para vivir.

Actividad #158

Describe los términos siguientes en tus propias palabras para que un/a joven hispanohablante que desconociera el concepto pudiera imaginárselo.

1. un cortaúñas: _____

_____

2. un horario: _____

_____

3. una carpeta: _____

_____

4. la sandía: _____

_____

5. una bufanda: _____

_____

6. un secador de pelo: _____

_____

7. una comisión: _____

_____

8. un/a periodista: _____

_____

9. el plástico: _____

_____

10. las pesas: _____

_____

Actividad #159

A causa de la confusión entre países sobre los diferentes usos del punto (.) y de la coma (,), hay un nuevo estándar: de 1 a 9999, no hay coma, ni punto, ni espacio. 10 000 en adelante necesitan de un espacio entre los miles, dejando que o el punto o la coma separen los números enteros de los decimales. Escribe los números siguientes con palabras tomando en cuenta las cosas si las hay.

1. 31 días

_____

2. 5501 camisas

_____

3. 8 700 000 000 especies

_____

4. $1^{1/2}$ semana(s)

_____

5. $1^{1/2}$ año(s)

_____

6. 609,88

_____

7. 300 100.5673

_____

8. $^{5/6}$

_____

9. 76 932

_____

10. 109 411

_____

Actividad #160

Completa la tabla con las formas indicadas del verbo **hacer**.

el presente del indicativo		**el presente del subjuntivo**	
_____	_____	_____	_____
_____	_____	_____	_____
_____	_____	_____	_____

el imperfecto del indicativo		**el imperfecto del subjuntivo (ra)**	
_____	_____	_____	_____
_____	_____	_____	_____
_____	_____	_____	_____

el pretérito del indicativo		**el imperfecto del subjuntivo (se)**	
_____	_____	_____	_____
_____	_____	_____	_____
_____	_____	_____	_____

el futuro simple del indicativo		**el imperativo**	
		mandar a alguien a _querer_ no es práctico	
_____	_____		
_____	_____		
_____	_____		

el condicional del indicativo		**el gerundio**	**el participio pasado**
_____	_____	_____	_____
_____	_____		
_____	_____		

171

Actividad #161

Todas las oraciones siguientes contienen por lo menos un error gramatical. Reescribe las oraciones corrigiendo todos los errores que identifiques.

1. ¿A qué hora empiezó la reunión ayer?

_____

2. Yo me gusta trabajando con mis colegas nuevos.

_____

3. Felipe le gusta mi vestido, pero creo es demasiado largo.

_____

4. ¡Guácala! Me odio las espinacas.

_____

5. Cuanto más páginas leas esta noche, menos tarea tendrás este fin de semana.

_____

6. Me gusta la camisa floreada lo más, pero la otra es bien también.

_____

7. La flexibilidad de horario que me dan es qué me gusta más.

_____

8. Adriana – "¿Estás cansada?" Kevin – "Sí, muy".

_____

9. ¡Ay, no! Puse mis lentes en el sofá y me senté en los. Ahora están rompidos.

_____

10. Ellos ya han hablados con el jefe, pero no sé con quién están hablandos ahora.

_____

Actividad #162

Completa cada oración con una frase que tenga sentido.

1. Se supone que todos deben estudiar en la universidad, pero lo que no toman en cuenta es que ___

_____

2. Según estudios, la cocina es el lugar más peligroso de la casa y creo que es porque _____

_____

3. Disculpe, señora. Creo que estoy un poco perdido. ¿Me puede decir _____

_____

4. Estamos muy emocionadas por nuestro viaje a las Islas Baleares porque _____

_____

5. El sábado pasado, fuimos al teatro para ver esa obra y nos encantó porque _____

_____

6. Tengo que llevar mi carro al mecánico porque esta fue la sexta vez en dos semanas que _____

_____

7. Mi primo trabaja para el gobierno federal a pesar de que _____

_____

8. No me juzgues, pero tengo que confesarte que ayer, cuando _____

_____

9. Me encanta este restaurante porque _____

_____

10. Lo que no entiendo de un parlamento, a diferencia de una legislatura bicameral, es _____

_____

Actividad #163

Hagamos poesía. Termina cada estrofa con un verso acorde con la rima indicada. Ni tú ni yo somos Pablo Neruda así que no te preocupes de escribir algo profundo. Nomás diviértete.

1. Pájaro carpintero (A)
   Siempre de mal agüero (A)
   La última vez que vino (B)

   _____ (A)

2. Promete el mundo entero (A)
   Es la índole de un embustero (A)
   En cuanto muerdes (B)
   Tu todo lo pierdes (B)

   _____ (A)

3. "No la toches" (A)
   Dice en espanglish (B)
   "Es mi cheeseburguesa" (C)

   _____ (A)

4. Paco Pérez parpadea (A)
   Rigoberto regatea (A)
   Sara Suazo sabotea (A)

   _____ (A)

5. Me dijo que quizá (A)
   Me vendía su sofá (A)
   Pero cuando yo lo vi (B)

   _____ (B)

6. En la oficina de correos (A)
   Mandó varios paquetes (B)
   Unos lindos y otros feos (A)

   _____ (B)

Actividad #164

Reescribe las oraciones siguientes cambiando la voz activa por la voz pasiva: una vez usando "ser" y otra vez usando el "se pasivo".

1. El dueño perdió mucho dinero antes de que clausurara su tienda.

(ser) _____

(se) _____

2. Un vendedor ambulante vende gorras cada viernes en esta esquina.

(ser) _____

(se) _____

3. La tribu olvidó casi todas sus tradiciones cuando la sociedad la integró.

(ser) _____

(se) _____

4. Desgraciadamente, las ejecuciones públicas entretenían al pueblo.

(ser) _____

(se) _____

5. Un representante de recursos humanos explicará mañana las normas de la oficina.

(ser) _____

(se) _____

6. El gobierno municipal apaga las luces de cuando en cuando para ahorrar electricidad.

(ser) _____

(se) _____

Actividad #165

Primera reacción. ¿Cómo responderías ante las situaciones siguientes? Una simple frase bastará.

1. Te das cuenta de que se te cayeron las llaves en el bus: _____

2. Tu mamá te dice que vas a tener un hermanito: _____

3. Un servicio de genealogía dice que eres descendiente de Miguel Ángel: _____

4. Recibes un correo electrónico de un "príncipe" pidiendo ayuda: _____

5. Se te rompe una cuerda de tu guitarra mientras la tocas: _____

6. Tu personaje favorito de una serie muere inesperadamente: _____

7. Notas que tu gato te ha dejado un "regalito" en tu planta: _____

8. Alguien toca a tu puerta a las 23:00 horas sin haberte avisado: _____

9. Alguien te dice cómo acaba una película que tú querías ver: _____

10. Pillas con prismáticos a una vecina espiándote con prismáticos: _____

11. Descubres un hoyo en tu calcetín nuevo: _____

12. Alguien que apenas conoces, pide que seas su dama de honor: _____

13. Hallas una caja con algo que llevabas meses buscando: _____

14. Saboreas una comida muy deliciosa: _____

15. Te enteras de que un amigo te dejó ganar una jugada: _____

16. Todas las luces de tu casa se apagan durante una fiesta: _____

17. Regresas a casa y encuentras que tu hijo ha pasado la aspiradora: _____

18. Llegas al trabajo y ves que un/a colega lleva la misma camisa que tú: _____

19. Abres un aguacate y todo está negro: _____

20. Tu mejor amiga acude con un nuevo peinado muy bonito: _____

Parafrasea cada cita directa con una cita indirecta. Toma en cuenta el tiempo verbal, la persona y cualquier otra palabra que indique tiempo (anoche, mañana) o espacio (aquí, ese).

1. "Ten cuidado en el parque porque hay gente rara a estas horas".

   Me **dijo** que _____

2. "Llamadme cuando lleguéis a vuestro destino".

   Les **he dicho** que _____

3. "Mi hijo usará mi tarjeta de crédito solo en caso de que tenga una emergencia".

   Me **dijiste** que _____

4. "Acabo de enterarme de que Camilo se va a jubilar la semana que viene".

   Dijiste que _____

5. "¿Vas a invitarla a cenar?"

   Te **pregunté** (que) si _____

6. "Los libros del Señor de los anillos me fascinaban cuando tenía catorce años".

   Me **dijiste** que _____

7. "Se le ha perdido su cartera y no podrá abordar el avión mañana sin su credencial".

   Te **dije** que _____

8. "Nos lo has dicho mil veces".

   Le **dije** que _____

9. "No comas nada pasada la medianoche, que tu procedimiento es a las 8:00 mañana".

   Me **dijo** que _____

10. "Corrimos un gran riesgo, pero, por suerte, todo salió bien".

   Dijeron que _____

Actividad #167

Completa la tabla con las formas relacionadas que faltan. Puede que haya múltiples posibilidades.

	sustantivo	adjetivo	adverbio
1.		cordial	
2.	la rareza		
3.			lejos
4.	la ansiedad		
5.		próximo	
6.		franco	
7.			pacientemente
8.		sentimental	
9.	el repente		
10.			abiertamente
11.	el mundo		
12.			especialmente
13.		estrecho	
14.	el cuidado		
15.		violento	
16.			urgentemente
17.	la enormidad		
18.		posible	
19.			sutilmente
20.	el valor		

Actividad #168

Escribe unas oraciones originales utilizando el sustantivo indicado y los verbos *conocer* y *saber*.
Sigue el modelo.

1. Denver: ___No **sé** cuánta gente vive en Denver ni tampoco **conozco** muchos de sus barrios, pero **sé** que la ciudad tiene mucha diversidad cultural.___

2. la madre de tu amigo: _____

_____

3. la canción "Aleluya": _____

_____

4. algunas frutas tropicales: _____

_____

5. los desiertos africanos: _____

_____

6. la familia de tu jefa: _____

_____

7. las leyes federales: _____

_____

8. las culturas asiáticas: _____

_____

9. algunas bebidas alcohólicas: _____

_____

10. algunas telas sintéticas: _____

_____

Actividad #169

Para cada oración, escribe la mejor respuesta en el espacio en blanco.

1. Los electrones tienen una _____ eléctrica negativa.

    a. energía   b. carga   c. inercia   d. masa

2. Los _____ son parte de la vida en una granja.

    a. terrenos   b. espantapájaros   c. deberes   d. graneros

3. La dictadura abandonó a los _____ cuando más necesitaban ayuda.

    a. tuertos   b. desamparados   c. mendigos   d. cojos

4. _____ no cabrá en el enchufe sin adaptador europeo.

    a. la clavija   b. el alambre   c. la pantalla   d. la funda

5. La candidata se _____ para presidenta.

    a. votó   b. marchó   c. postuló   d. implicó

6. No fui al cine con ellos para ver la película porque ya la había _____.

    a. visto   b. filmado   c. reportado   d. entrevistado

7. ¡Cuéntamelo ya, que me tienes _____!

    a. a paso de tortuga   b. en ascuas   c. frente a frente   d. hasta la coronilla

8. Les dieron a los huéspedes una _____ bien cálida cuando llegaron.

    a. cobija   b. acogida   c. mecedora   d. manguera

9. El atardecer estuvo tan bello que nos dejó _____.

    a. ligeros   b. mojados   c. pesados   d. pasmados

10. Según la leyenda, los peregrinos desaparecieron sin dejar _____.

    a. hada   b. rayo   c. travesía   d. rastro

Llena cada espacio en blanco con el **participio pasado** del verbo entre paréntesis. ¡Ojo! Presta mucha atención al contexto ya que el participio pasado puede servir de <u>adjetivo</u> o <u>adverbio</u>.

1. He _____ la puerta 3 veces ya. ¿Por qué no sigue _____? (abrir)

2. No creo haber _____ suficiente agua hoy. (beber)

3. ¿Por qué ya no está _____ tu tarea? (hacer)

4. Todos los problemas que hemos tenido últimamente ya están _____. (resolver)

5. Todas las mesas han sido _____ de los manteles nuevos. (cubrir)

6. Tuve que regresar porque se me habían _____ las entradas. (olvidar)

7. ¿Qué han _____ tus colegas con sus nuevos estantes? (hacer)

8. Sus acciones están mal _____ y diferencia de cultura no es ninguna excusa. (ver)

9. ¿Quién te ha _____ que no se puede hacer? (decir)

10. Rosa se ha _____ tarde cada mañana esta semana. ¿Qué le pasa? (despertar)

11. No me han _____ los últimos cambios. (gustar)

12. Los técnicos han _____ su reporte y no parece nada bueno. (escribir)

13. Llevo _____ las medias nuevas que me regalaste por mi cumple. (poner)

14. No puedo usar mi móvil porque la pantalla está _____. (romper)

15. ¿Has _____ las últimas noticias sobre la transición? (oír)

16. Los baldes fueron _____ por los niños. (llenar)

17. Los documentos que nos hacen falta ya están _____. (imprimir)

18. Estaba triste porque había _____ en esa casa desde su niñez. (vivir)

19. Ha _____ demasiados incendios este año. (haber)

20. No puedo acceder los datos porque los archivos están _____. (corromper)

Indica si los comentarios siguientes los dudas o los crees. Para los que dudes, imagina el subjuntivo que resultaría si las frases empezaran por "Dudo que…"

	lo dudo	lo creo
1. SARS-CoV-2 fue creado como arma biológica.	_____	_____
2. Los remolinos de aire cambian la dirección de los vientos.	_____	_____
3. Una marmota puede pronosticar el clima.	_____	_____
4. El ser humano y el chimpancé comparten un 98,8% de su ADN.	_____	_____
5. Se puede demorar la vejez, bloqueando cierta proteína.	_____	_____
6. Algunos animales pueden crear luz y emitirla.	_____	_____
7. Hay una conexión entre el uso de marihuana y la esquizofrenia.	_____	_____
8. Algunas ráfagas terrestres han superado las 250 millas por hora.	_____	_____
9. El metabolismo de aspartamo lo convierte en formaldehído.	_____	_____
10. Ponen fluoruro en el agua para controlar a la muchedumbre.	_____	_____
11. Sequías recientes en Europa han sido las peores en 2100 años.	_____	_____
12. EE. UU. es el único país que no usa el sistema métrico (SMD).	_____	_____
13. El ser humano y el plátano comparten un 50% de su ADN.	_____	_____
14. Las vacunas de ARNm pueden cambiar tu ADN.	_____	_____
15. Solo dos países tienen el color morado en sus banderas.	_____	_____
16. La odontología es la profesión más antigua del mundo.	_____	_____
17. HAARP controla el clima y causa terremotos e inundaciones.	_____	_____
18. En 1980, un bebé por cada 50 nacidos era gemelo/mellizo.	_____	_____
19. Comer un chile llamado "aliento de dragón" te puede matar.	_____	_____
20. El aeropuerto de Denver es la sede de los Illuminati.	_____	_____
21. Los hermanos humanos comparten un 50% de su ADN.	_____	_____
22. Hay cierta gente que puede pasar por objetos sólidos.	_____	_____
23. Las "Islas Canarias", en latín, significaba "islas de caninos".	_____	_____
24. La luna de la Tierra es nada más que una gran proyección.	_____	_____
25. En 2010, un bebé por cada 30 nacidos era gemelo/mellizo.	_____	_____
26. El Titanic nunca se hundió. Fue nomás un fraude de seguro.	_____	_____
27. Mi hermano es un plátano.	_____	_____

Para formar cada oración, cambia el orden de palabras y puntuación para que tenga sentido.

1. se cayeron por la turbulencia porque se habían desabrochado para ir al baño .

---

2. mi medio hermano no vino aquel día porque estaba en el hospital .

---

3. los jóvenes pueden ser molestosos aun si creen que están siendo chistosos .

---

4. había varios pavos reales que vivían en el jardín de la oficina de mi quiropráctico .

---

5. necesitamos una mesa para seis y , preferiblemente , junto a la ventana .

---

6. nos congelamos en el verano con aire acondicionado y ardemos con calefacción en el invierno .

---

7. el camello les escupió a algunos turistas y esos son los que empezaron a chillar .

---

8. los meteorólogos no son videntes , sino que pronostican el tiempo según modelos del pasado .

---

9. debíamos leer dos capítulos del libro anoche , pero yo solo leí dos párrafos .

---

10. usó el pañuelo de mi esmoquin para sonarse la nariz , pues se quedó con él .

Actividad #173

Para cada verbo conjugado, escribe el sujeto, el tiempo verbal, el modo y su infinitivo.

1. **domino**   sujeto _____   tiempo verbal _____

   infinitivo _____   modo _____

---

2. **se rindió**   sujeto _____   tiempo verbal _____

   infinitivo _____   modo _____

---

3. **te has adaptado**   sujeto _____   tiempo verbal _____

   infinitivo _____   modo _____

---

4. **críen**   sujeto _____   tiempo verbal _____

   infinitivo _____   modo _____

---

5. **frunciéramos**   sujeto _____   tiempo verbal _____

   infinitivo _____   modo _____

---

6. **alzará**   sujeto _____   tiempo verbal _____

   infinitivo _____   modo _____

---

7. **supuse**   sujeto _____   tiempo verbal _____

   infinitivo _____   modo _____

Actividad #174

Como bien sabes, algunos sustantivos tienen género masculino mientras que otros tienen género femenino. Dicho eso, puede que no sepas que algunos tienen género ambiguo. Es decir que alguna gente los considera masculinos mientras que otra gente los considera femeninos. De esos, las dos formas son válidas. Como si fuera poco, hay unos cuantos que tienen diferentes significados dependiendo del género. Para colmo, algunos tienen unas definiciones con género ambiguo y otras definiciones con uno u otro. Pon las palabras del banco (y su artículo) en sus categorías respectivas.

papa, ala, azúcar, sartén, águila, editorial, vodka, terminal, radio, chance, internet, aula, mar, margen, enzima, mimbre, día, sofá, hada, mapa, tequila, alba, planeta, coma, agua, mano, álgebra, ave, cura, capital, sauna, calor, maratón, arte, cometa, corte, frente, final, guía, pendiente, lente, orden, pez, yoga, libido, maná, hacha…

género masculino	género femenino	género ambiguo	depende del contexto

Completa la tabla con las formas indicadas del verbo *traer*.

el presente del indicativo   **el presente del subjuntivo**

_____ _____ | _____ _____

_____ _____ | _____ _____

_____ _____ | _____ _____

el imperfecto del indicativo   **el imperfecto del subjuntivo (ra)**

_____ _____ | _____ _____

_____ _____ | _____ _____

_____ _____ | _____ _____

el pretérito del indicativo   **el imperfecto del subjuntivo (se)**

_____ _____ | _____ _____

_____ _____ | _____ _____

_____ _____ | _____ _____

el futuro simple del indicativo   **el imperativo**

_____ _____ | _____

_____ _____ | _____ _____

_____ _____ | _____ _____

el condicional del indicativo   **el gerundio**   **el participio pasado**

_____ _____ | _____ _____

_____ _____ |

_____ _____ |

Todas las oraciones siguientes contienen por lo menos un error gramatical. Reescribe las oraciones corrigiendo todos los errores que identifiques.

1. Mi tío es más alto de mí; mide más que dos metros.

_____

2. Mi amiga y yo vamos juntos, pero estoy un poco nerviosa.

_____

3. Es importante que todos llegan a tiempo mañana porque el jefe estará.

_____

4. Gracias por me envías esa carta. ¡Me la encantó!

_____

5. ¿Recibiste el correo de electrónico sobre el partido de fútbol de americano?

_____

6. Mi padre nos regaló €30 a mi amigo y yo para que podíamos ir al cine.

_____

7. No me gusta ir a la playa cuando es demasiado calor.

_____

8. Tito, cómpralo o no cómpralo, pero no voy a esperarte más.

_____

9. Se enojó conmigo hace como dos horas y todavía se está enojado.

_____

10. Tu marido es el mejor; te trata como una reina.

_____

Los adjetivos descriptivos van pospuestos al sustantivo al que describen para dar contraste. En cambio, suelen ir antepuestos al sustantivo para quitar el contraste y mostrar una característica inherente del dicho sustantivo. Para cada sustantivo a continuación, escribe una oración original con adjetivo pospuesto y otra oración con el mismo adjetivo antepuesto. Sigue el modelo.

1. **ojos**:   Ían tiene los ojos **azules**. (Muestra contraste con otros colores posibles de ojos.)

  Los **azules** ojos de Ían me tienen hechizada. (Ían tiene un solo color de ojos.)

2. **cóndores**:   Los cóndores son aves **majestuosas**. (Muestra contraste con aves no majestuosas.)

  Me encanta sentarme a mirar volar los **majestuosos** cóndores. (No hay cóndores no majestuosos.)

3. **rascacielos**: _____

_____

4. **huracanes**: _____

_____

5. **carne**: _____

_____

6. **uniformes**: _____

_____

7. **joyería**: _____

_____

8. **consejos**: _____

_____

9. **flores**: _____

_____

10. **pesadillas**: _____

_____

Actividad #178

Hagamos poesía. Termina cada estrofa con un verso acorde con la rima indicada. Ni tú ni yo somos Pablo Neruda así que no te preocupes de escribir algo profundo. Nomás diviértete.

1. Me fue de maravilla (A)
   Pasé una noche sencilla (A)
   Botella de vino (B)
   Con queso divino (B)

   _____ (A)

2. Se me ha roto la costura (A)
   De la entrepierna del pantalón (B)
   Tratando de hacer una postura (A)

   _____ (B)

3. Andar por el barrio oscuro (A)
   No parece ser nada seguro (A)
   Por tonto anduve (B)
   Por suerte estuve (B)

   _____ (A)

4. Tati tenía ganas de un helado (A)
   Y tanto le habría gustado (A)
   Sin ningún centavo (B)
   Le pidió a un chavo (B)

   _____ (A)

5. Brindamos por tu salud (A)
   Celebramos con gratitud (A)
   Todo lo que tú has hecho (B)

   _____ (A)

6. Pizcaban fresas (A)
   Desahijaban lechugas (B)
   Para mandarles remesas (A)

   _____ (B)

Actividad #179

Reescribe las oraciones siguientes cambiando la voz pasiva por la voz activa. Si no hay sujeto escrito para la voz activa, por la naturaleza de la voz pasiva, tendrás que inventar uno lógico.

1. Se supone que va a llover durante todo el festival.

_____

2. Marte está siendo explorado por unos cuantos países ahora.

_____

3. El 99% de la energía eléctrica en Costa Rica es producida por fuentes limpias y renovables.

_____

4. Los estudiantes se aburren en clase porque la materia es aburrida.

_____

5. Los inmigrantes han sido dirigidos a los refugios federales.

_____

6. Casi no se leen los libros clásicos en las escuelas porque no son tan relevantes ahora.

_____

7. Las ventanas exteriores de los rascacielos son limpiadas usando grúas.

_____

8. Cajero automático: "Tu transacción está siendo procesada".

_____

9. Los gusanos son comidos por los pájaros cuando salen durante las lluvias.

_____

10. Falleció cuando estaba mar adentro así que su cadáver fue enterrado en el mar.

_____

Escribe la cita directa correspondiente para cada cita indirecta. Toma en cuenta el tiempo verbal, la persona y cualquier otra palabra que indique tiempo (anoche, mañana) o espacio (aquí, ese).

1. Me mencionó que no creía que fuera a poder asistir, pero que ya veríamos.

   Me **dijo**: "_____".

2. Le expresaste que no te sentías muy bien y que tendrías que hacerlo el día siguiente.

   Le **dije**: "_____".

3. Nos dijiste que nos quedaba poco tiempo y que lo decidiéramos cuanto antes.

   Os **dije**: "_____".

4. Nos dijeron que habían cumplido con casi todo, pero que faltaba una cosita.

   Nos **dijeron**: "_____".

5. Os pregunté si queríais que os cogiera unas botellas más.

   Nos **preguntaste**: "¿_____?"

6. Les he suplicado a los muchachitos que se sienten y dejen de chillar.

   Les **ordenó**: "_____".

7. Te dije que lo haría si me daba tiempo.

   Me **dijiste**: "_____".

8. Les dije que no hicieran tanto ruido para que no despertaran a su abuelito.

   Les **dijo**: "_____".

9. ¿Le has dicho que no se preocupe por ti en la fiesta porque nunca tomas alcohol?

   Le **dije**: "_____".

10. Me preguntó que por qué no salía con ella.

   Me **preguntó**: "¿_____?"

Actividad #181

Para cada adjetivo o adverbio, propón un diminutivo *o* un aumentativo según tenga sentido. Para cada sustantivo, propón un diminutivo *y* un aumentativo.

	diminutivo	**aumentativo**
1. una taza		
2. guapa		
3. un ruido		
4. jóvenes		
5. un té		
6. un beso		
7. un camión		
8. chicas		
9. pobre		
10. unos pies		
11. Paco		
12. lento		
13. grande		
14. una gata		
15. un dilema		
16. una merienda		
17. gordo		
18. pequeñas		
19. un pueblo		
20. una palabra		

A estas alturas, ser estudiante de español ya no te extraña y te puedes imaginar que, antes de llegar a ser docente, yo también tuve mis humildes principios de estudiante. A continuación, comparto contigo un ensayo (sin editar) que yo mismo escribí en el año 2001 –mi último semestre de licenciatura– mientras estudiaba en el extranjero en la Universidad de las Américas Puebla. Al leerlo hoy en día, veo lo mucho que me quedaba por aprender en aquella época. Ahora es tiempo de cambiar roles. Imagínate que soy tu estudiante y, para tu clase, he escrito y entregado el ensayo siguiente. Tu trabajo es leerlo con el fin de ayudarme a mejorar mi escritura. Hay varios errores tipográficos y de gramática que quizá notarás. Entre renglones, en los márgenes y/o al final, marca, apunta, corrige, nota, comenta y/o pregunta cualquier cosa que me pueda ayudar a aprender.

El intelecto de la mujer: Sor Juana Inés de La Cruz (1646? - 1695)

Abandonada por su padre cuando era muy joven Juana Inés se crió bajo la influencia de su abuelo Pedro Ramírez quien no sólo podía leer sino también era muy inteligente. Era de él que ella recibió su gran amor del aprendizaje. En una carta escrita a Sor Filotea de la Cruz, *Respuesta*, ella menciona la gran cantidad de libros que su abuelo tenía y su pasión de leerlos. A pesar de una falta de mucha educación formal, Juana Inés llegó a ser muy lista por su propia curiosidad y voluntad de aprender todo que pudiera.

Cuando tenía cerca de 15 años de edad ella se presentó a la entonces Virreina, Doña Leonor Carreto, quien en ese momento acabó de llegar de España. Se mudó en el palacio y llegó a ser una de las mujeres favorables que esperaban a un esposo. En la época que vivió Juana Inés, el destino de la mujer era el matrimonio, la prostitución o el convento y ella lo sabía. Siendo una intelectual y consciente de la vida de cada uno, ella decidió ser monja para que pudiera tener la libertad de seguir estudiando y escribiendo.

Entró en el convento de San Jerónimo. Su alojamiento era bastante cómodo con muchas habitaciones, una cocina, un baño con agua caliente y una sala de estar. Aunque ella juró a tener una vida de pobreza, podía tener posesiones particulares incluso una biblioteca personal que contenía miles de libros.

Ser monja le permitía escribir poemas, obras de teatro, y canciones tanto religiosas como seculares. Las escribió para la escuela juntada al convento, para la corte y también para concursos. Ella había realizado sus sueños de aprender y escribir sin obligaciones típicas de la mujer en esa época. Pero en 1690, después de escribir una crítica de un sermón y una carta tratando de defender su carrera literaria, ella dejó de escribir. Algunos dicen que lo hizo por razones espirituales, pero se cree más comúnmente que ella lo hizo debido a miedo y demasiada presión de la Iglesia la que no le gustaba el hecho de que ella era una mujer tan inteligente y popular. En 1695 Sor Juana Inés de la Cruz murió de una epidemia no especificada que pasó por todo el convento.

_____

_____

_____

_____

_____

_____

_____

_____

_____

Actividad #183

Para cada oración, escribe la mejor palabra en el espacio en blanco.

1. Veinte, treinta, _____, cincuenta. cuarentena / cuaresma / cuarenta / cuarta

2. Lunes, _____, miércoles, jueves, viernes. Marte / mártires / mates / martes

3. Décimo, _____, trigésimo, cuadragésimo. vigésimo / veganismo / vigoroso

4. Aries, Tauro, _____, Cáncer, Leo. Genitales / Gemelos / Génesis / Géminis

5. Noviembre, diciembre, _____, febrero. género / venero / enero / enebro

6. Verano, otoño, _____, primavera. invertido / invierno / infierno / interno

7. El 31 de octubre, tallaron _____. calabozos / cabezazos / calabazas / cazuelas

8. El 25 de diciembre, todos se dieron _____. regaños / regazos / regalos / arreglos

9. El 14 de febrero es el Día de los _____. Encabronados / Enamorados / Engañados

10. Para la Nochevieja, bebieron _____. campaña / champaña / champiñones

11. Mercurio, Venus, Tierra, Marte, _____, Saturno. Júpiter / Júbilo / Japón / Julio

12. Se habla alemán en _____. Alemania / Alema / Almendra / Alemana

13. Se habla griego en _____. Greco / Grecia / Gracia / Grecisco

14. Idiomas cooficiales en España son euskera, catalán y _____. galiciano / gallego

15. Gran Bretaña comprende Inglaterra, Escocia y _____. Ballenas / Gales / Tales / Males

16. Se habla mandarín en _____. Tailandia / Corea / Filipinas / Taiwán / Mongolia

17. Se hace clavados en la _____. la pista / la pisci / la pisca / la pecera

18. Se juega al baloncesto en la _____. canasta / concha / cancha / chanchi

19. Se cena en la _____. cochina / cochera / cocina / cuchilla

20. A los jóvenes les gusta masticar _____. chicas / chanclas / chicles / chistes

Actividad #184

Escribe unas oraciones originales utilizando el sustantivo indicado y los verbos *haber*, *ser*, *estar* y *parecer*.

1. **moho**: _____

_____

2. **chatarra**: _____

_____

3. **frutas**: _____

_____

4. **individuos**: _____

_____

5. **mamíferos**: _____

_____

6. **útiles de oficina**: _____

_____

7. **mascotas**: _____

_____

8. **sitios**: _____

_____

9. **bicicleta**: _____

_____

10. **países**: _____

_____

Actividad #185

Para cada oración, escribe la mejor respuesta en el espacio en blanco.

1. Me he mudado a la ciudad por _____ que ofrece.

    a. la suerte   b. la vida nocturna   c. los rascacielos   d. los senderos

2. Llamamos a la _____ cuando la transmisión se nos estropeó.

    a. troca   b. bisagra   c. llanta   d. grúa

3. Te recomiendo la primera peli, pero no te puedo recomendar _____.

    a. la comedia   b. la censura   c. la secuela   d. el infomercial

4. El culpable jamás se pondrá en libertad porque le dieron _____ perpetua.

    a. multa   b. justicia   c. culpa   d. cadena

5. Me entristece ver a los animales _____.

    a. salvajes   b. en cautiverio   c. a la intemperie   d. en cuevas

6. Es obstinado y poco comprensivo. Es por eso que _____ así.

    a. se puso al tanto   b. no pegó ojo   c. hizo hincapié   d. se puso las pilas

7. Sé que has visto el fantasma, pero no sé por qué lo estás _____.

    a. vaciando   b. alumbrando   c. negando   d. enterrando

8. Lo mataron a puñaladas porque pensaban que los iba a _____ a la poli.

    a. chantajear   b. acosar   c. denunciar   d. disparar

9. Todos son dedos de la mano excepto _____.

    a. el anular   b. el gordo   c. el mayor   d. el índice

10. Lamentablemente, el tumor que encontraron en su seno es _____.

    a. benigno   b. una bendición   c. maligno   d. súbito

Actividad #186

Llena cada espacio en blanco con la conjugación correcta en **el pretérito** del verbo entre paréntesis.

1. Elena _____ en el sofá y yo en el suelo. (dormir)

2. Yo _____ mi chamarra en el gancho al entrar. (colgar)

3. ¿Qué _____ tú al regresar a casa ayer? (hacer)

4. Mi abuelo _____ un hombre simple. (ser)

5. Ellos _____ esperando en la fila por más de una hora. (estar)

6. Mis padres _____ en el concierto el sábado pasado. (divertirse)

7. ¿Quiénes _____ ver los fuegos artificiales el año pasado? (poder)

8. Mi tía _____ el espectáculo desde su balcón. (ver)

9. ¿Quién te _____ que no podríamos hacerlo? (decir)

10. Pepe y yo le _____ flores por su cumpleaños. (dar)

11. ¿Vosotros _____ anoche también a ver esta misma obra? (venir)

12. Yo _____ un ensayo para esa clase. (escribir)

13. Tito _____ conmigo ayer durante el descanso. (platicar)

14. _____ tres incendios en una sola noche. (haber)

15. Los turistas se agacharon cuando _____ dispararse la escopeta. (oír)

16. Yola y Memo _____ un entremés para todos. (traer)

17. _____ la alarma cuando los niños abrieron la puerta. (sonar)

18. El juez _____ en libertad a los reos. (poner)

19. Yo _____ mi meta de recaudar 10 000 dólares. (alcanzar)

20. Todos los invitados _____, pero yo no estaba bromeando. (reírse)

Actividad #187

Indica si las acciones siguientes son buenas ideas o malas ideas.

	buena idea	mala idea
1. Que te laves las manos antes de cenar.	_____	_____
2. Que le des todas las sobras de la cena a tu perro.	_____	_____
3. Que obedezcas las señales de tránsito aunque no sepas por qué.	_____	_____
4. Que uno no parpadee durante todo el día.	_____	_____
5. Que uno desconfíe de todo el mundo.	_____	_____
6. Que hagas todo con medida.	_____	_____
7. Que uno se someta a cirugías innecesarias por vanidad.	_____	_____
8. Que los padres consientan a sus hijos de cuando en cuando.	_____	_____
9. Que le laves las patas a tu perro antes de que cene.	_____	_____
10. Que uno hable con un/a psicólogo/a en tiempos difíciles.	_____	_____
11. Que uses tu tarjeta de crédito a pesar de tus ingresos.	_____	_____
12. Que se suba por las escaleras siempre que se pueda.	_____	_____
13. Que investigues a tus ancestros usando muestras de tu ADN.	_____	_____
14. Que almacenemos todas las armas posibles para el apocalipsis.	_____	_____
15. Que una mujer embarazada fume 3 cajetillas de cigarro al día.	_____	_____
16. Que comas todas las sobras de la cena de tu perro.	_____	_____
17. Que se tome en cuenta la salud mental y no solo la física.	_____	_____
18. Que uno reviva su pasado una y otra vez, a pesar de que duela.	_____	_____
19. Que ofrezcamos a un extraño el beneficio de la duda.	_____	_____
20. Que uno acepte un obsequio de un desconocido en la calle.	_____	_____
21. Que subas a las redes sociales imágenes de tu tarjeta de débito.	_____	_____
22. Que te abroches el cinturón de seguridad siempre que manejes.	_____	_____
23. Que dejes que una persona apurada se cuele delante de ti.	_____	_____
24. Que digamos groserías en público cuando estamos frustrados.	_____	_____
25. Que seas honesto/a con tus hijos sobre tus faltas y debilidades.	_____	_____
26. Que comas a tu perro si no hay sobras de la cena.	_____	_____
27. Que los padres les digan a sus hijos que no lloren.	_____	_____

Pon las palabras del banco en sus categorías respectivas. Para las palabras que desconozcas, sigue tus primeros instintos. Una vez que tengas las seis categorías llenas, investiga tus dudas.

metales	trastes	equipo deportivo

gardenia, titanio, red, hidrógeno, hierro, guante, espátula, amapola, tacos, lavanda, bate, azufre, bola, cazuela, garza, oxígeno, plomo, guacamayo, colador, casco, cinc, cisne, rallador, cobre, golondrina, urraca, portería, metano, gorrión, plancha, protector, clavel, helio, orquídea, kriptón, acero, batidor, rododendro, aluminio, ozono, petirrojo, estaño, magnolia, sartén, paloma, pelador, neón, olla, mercurio, buitre, sartén, lirio, gaviota, palo, bronce, tulipán, disco, margarita, nitrógeno, monóxido de carbono

gases	aves	flores

Actividad #189

Para formar cada oración, cambia el orden de palabras y puntuación para que tenga sentido.

1. perfecta noticias temo que eres me tengo malas ; no .

_____

2. tu lavadora de peluche en caído puse la lodo oso porque había se al .

_____

3. de pie una notas libro distracción las en este son .

_____

4. han sol se que quemen bloqueador puesto el solar bajo para no se .

_____

5. y regalos nosotras yo nos Rosa mismas dimos a .

_____

6. será la responsable inteligencia de detección la enfermedades artificial de muchas .

_____

_____

7. para he pantalla una le captura de vea que enviado lo .

_____

8. enérgicos los ser tanto aventureros y solemos independientes tercos ser, lo Aries e, por, podemos.

_____

_____

9. " " otros puercoespines dicen que espín " " dicen mientras puercos algunos .

_____

10. ¿ mi ella padre si seguiría divorciaran madrastra se siendo mi y ?

_____

Actividad #190

Para cada verbo conjugado, escribe el sujeto, el tiempo verbal, el modo y su infinitivo.

1. **hayan cubierto**   sujeto _____   tiempo verbal _____

   infinitivo _____   modo _____

_____

2. **prevés**   sujeto _____   tiempo verbal _____

   infinitivo _____   modo _____

_____

3. **deshicimos**   sujeto _____   tiempo verbal _____

   infinitivo _____   modo _____

_____

4. **hables**   sujeto _____   tiempo verbal _____

   infinitivo _____   modo _____

_____

5. **pasad**   sujeto _____   tiempo verbal _____

   infinitivo _____   modo _____

_____

6. **se sienta**   sujeto _____   tiempo verbal _____

   infinitivo _____   modo _____

_____

7. **den**   sujeto _____   tiempo verbal _____

   infinitivo _____   modo _____

_____

Actividad #191

Varios verbos comunes sirven de raíz para otros verbos. Poniéndoles prefijos a los verbos a continuación, ¿cuántos otros verbos puedes formar?

tener   **traer**   **poner**

_____   _____   _____

_____   _____   _____

_____   _____   _____

_____   _____   _____

_____   _____   _____

_____   _____   _____

_____   _____   _____

_____   _____   _____

_____   _____   _____

decir   **venir**   **volver**

_____   _____   _____

_____   _____   _____

_____   _____   _____

_____   _____   _____

_____   _____   _____

_____   _____   _____

_____   _____   _____

¿Cuántos verbos puedes nombrar con el prefijo *des* con el sentido del opuesto de su raíz?

_____   _____   _____

_____   _____   _____

_____   _____   _____

_____   _____   _____

Actividad #192

Completa la tabla con las formas indicadas del verbo **haber**.

el presente del indicativo   **el presente del subjuntivo**

_____ _____ | _____ _____

_____ _____ | _____ _____

_____ _____ | _____ _____

el imperfecto del indicativo   **el imperfecto del subjuntivo (ra)**

_____ _____ | _____ _____

_____ _____ | _____ _____

_____ _____ | _____ _____

el pretérito del indicativo   **el imperfecto del subjuntivo (se)**

_____ _____ | _____ _____

_____ _____ | _____ _____

_____ _____ | _____ _____

el futuro simple del indicativo   **el imperativo**

_____ _____ | mandar a alguien a *haber* no es práctico

_____ _____ |

_____ _____ |

el condicional del indicativo   **el gerundio**   **el participio pasado**

_____ _____ | _____   _____

_____ _____ |

_____ _____ |

204

Actividad #193

Todas las oraciones siguientes contienen por lo menos un error léxico (se ha usado un vocablo incorrecto). Reescribe las oraciones corrigiendo todos los errores que identifiques.

1. Voy a atender a una nueva clase de español porque no estoy aprendiendo mucho en esta.

_____

2. Actualmente, el examen es este viernes, no este jueves.

_____

3. Me siento embarazada porque hice toda la entrevista con espinacas entre los dientes.

_____

4. Tuvimos que escaparnos por el éxito de emergencia porque había un incendio.

_____

5. El médico me dio un laxante porque hacía tres días que me encontraba constipada.

_____

6. Mis hijos fueron a la librería de la escuela para sacar unos libros.

_____

7. ¿Puedo preguntarte una cuestión?

_____

8. Prefiero comer los alimentos sin preservativos.

_____

9. Mi hermano está tocando una clase de música este semestre, pero no le gusta.

_____

10. Ese vestido mira muy bonito.

_____

Actividad #194

Para cada oración, llena el hueco con un vocablo lógico. Puede que haya múltiples posibilidades.

1. Tengo que lavarme los dientes cuanto antes porque tengo aliento de _____.

2. Me siento como si estuviera en caída libre sin _____.

3. Boicoteo esa compañía por sus prácticas poco _____.

4. Los arqueólogos han descubierto unas herramientas anteriormente _____.

5. La víctima ha perdonado al culpable, pero la _____ no.

6. La _____ estalló en medio de la calle y hubo decenas de heridos.

7. Nuestras _____ cambian a lo largo nuestras vidas.

8. El policía me dio una multa porque mi _____ derecho no funcionaba.

9. Hube de usar _____ para sacar el tornillo y no estuvo nada fácil.

10. No podía trapear el piso porque no encontraba el _____.

11. Vamos a poder terminar el proyecto el próximo viernes como _____.

12. Parece ser un lipoma, lo cual es, _____, un tumorcito benigno de grasa.

13. Se sometió a una cirugía para que le extirparan el _____.

14. Ellos creen que el _____ de su enemigo fallecido los está embrujando.

15. Siempre quiere saber quiénes están haciendo qué y por qué. ¡Qué _____!

16. Si tú me _____ que es verdad, te creeré.

17. No puedo leer el letrero muy bien porque se me olvidaron mis _____.

18. Estoy preparándome para la inminente _____ del huracán.

19. Sé que él puede ser un poco duro, pero, en el _____, es un buen hombre.

20. Ud. se ha roto cuatro costillas y, _____, no podrás volver a jugar este año.

Actividad #195

Para cada sonido fonético, escribe una palabra que empiece por él.

ga	gue		ja	ge / je		gua	güe		ca	que		za	ce / ~~ze~~
go	gui		jo	gi / ji		guo	güi		co	qui		zo	ci / ~~zi~~
gu			ju			~~guu~~			cu			zu	

1. (ga) _____   (gue) _____

   (go) _____   (gui) _____

   (gu) _____

2. (ja) _____   (ge) _____

   (jo) _____   (je) _____

   (ju) _____   (gi) _____

                                      (ji) _____

3. (gua) _____   (güe) _____

   (guo) _____no hay_____   (güi) _____

4. (ca) _____   (que) _____

   (co) _____   (qui) _____

   (cu) _____

5. (za) _____   (ce) _____

   (zo) _____   (ci) _____

   (zu) _____

Los adjetivos descriptivos van pospuestos al sustantivo al que describen para dar contraste. En cambio, suelen ir antepuestos al sustantivo para quitar el contraste y mostrar una característica inherente del dicho sustantivo. Para cada sustantivo a continuación, escribe una oración original con adjetivo pospuesto y otra oración con el mismo adjetivo antepuesto.

1. **playas**: _____

_____

2. **derrotas**: _____

_____

3. **raíces**: _____

_____

4. **actividades**: _____

_____

5. **jardines**: _____

_____

6. **películas**: _____

_____

7. **horarios**: _____

_____

8. **estadísticas**: _____

_____

9. **obras de arte**: _____

_____

10. **huevos rancheros**: _____

_____

Hagamos poesía. Termina cada estrofa con un verso acorde con la rima indicada. Ni tú ni yo somos Pablo Neruda así que no te preocupes de escribir algo profundo. Nomás diviértete.

1. Espérame tantito (A)
   Que me he quedado viejito (A)
   Ya no soy como tú (B)

   _____ (B)

2. ¿Qué creen que me apetece? (A)
   ¿Lechuga que no se aderece? (A)
   Más vale un puñado de barro (B)

   _____ (B)

3. Así es, mi amor (A)
   No hay nada que temer (B)
   Excepto la coliflor (A)

   _____ (B)

4. Del dicho al hecho (A)
   Hay un buen trecho (A)
   Como exterminar chinches (B)

   _____ (A)

5. Es difícil tragar una pastilla (A)
   En particular la grande amarilla (A)
   Es demasiado giganta (B)
   Se te atora en la garganta (B)

   _____ (A)

6. Me enseñaron a volar (A)
   Sin miedo y con corazón (B)
   Las alas no se me pueden cortar (A)

   _____ (B)

Actividad #198

Reescribe las oraciones siguientes cambiando la voz pasiva por la voz activa. Si no hay sujeto escrito para la voz activa, por la naturaleza de la voz pasiva, tendrás que inventar uno lógico.

1. La pobre niña fue atropellada por el tractor, pero por suerte no fue lesionada.

_____

2. Los campeones fueron vencidos por un equipo que no había anotado ni un punto en todo el año.

_____

_____

3. A veces los niños son castigados sin que se les aclare qué comportamiento está mal.

_____

4. Hay ciertos obstáculos que simplemente no se pueden superar.

_____

5. La cantante fue acosada por un jabalí en el parque el pasado sábado.

_____

6. Un rifle de alto calibre y más de 500 balas fueron hallados en el maletero del sospechoso.

_____

7. La rueda fue inventada independientemente por diferentes culturas.

_____

8. El señor fue infectado por un murciélago que se encontró en su habitación.

_____

9. Hay que saber que hay repercusiones cuando las leyes se rompen.

_____

10. Un jaguar hembra nacido en cautiverio fue liberado a lo salvaje.

_____

A estas alturas, ser estudiante de español ya no te extraña y te puedes imaginar que, antes de llegar a ser docente, yo también tuve mis humildes principios de estudiante. A continuación, comparto contigo un ensayo (sin editar) que yo mismo escribí en el año 2001 –mi último semestre de licenciatura– mientras estudiaba en el extranjero en la Universidad de las Américas Puebla. Al leerlo hoy en día, veo lo mucho que me quedaba por aprender en aquella época. Ahora es tiempo de cambiar roles. Imagínate que soy tu estudiante y, para tu clase, he escrito y entregado el ensayo siguiente. Tu trabajo es leerlo con el fin de ayudarme a mejorar mi escritura. Hay varios errores tipográficos y de gramática que quizá notarás. Entre renglones, en los márgenes y/o al final, marca, apunta, corrige, nota, comenta y/o pregunta cualquier cosa que me pueda ayudar a aprender.

Los acontecimientos del 1968 hasta el 2 de octubre en Tlatelolco

Las protestas estudiantiles de México en 1968 parecían las protestas de Europa y los EE.UU. con una gran diferencia; el gobierno en el que protestaban. Los estudiantes estaban hartos de oír toda la retórica de su gobierno como los estudiantes estadounidenses pero el gobierno no era tan tolerante como el de los EE.UU. Los estudiantes demandaban: la liberación de los presos políticos, destitución de varios generales, extinción del Cuerpo Granaderos y la derogación del artículo 145 (el delito de disolución social), una demanda para la cual los comunistas habían intentado conseguir apoyo por años sin éxito. Había muchas personas importantes de las universidades que apoyaban a los estudiantes incluso el rector mismo de la Universidad Nacional, Javier Barros Sierra el cual encabezó una marcha de protesta a favor de los estudiantes. Junto con el Consejo Nacional de Huelga (CNH) miembros de la facultad de muchas universidades eligió por lo menos a un líder que trataba de realizar la libertad de asambleas y discurso libre en sus propias escuelas.

Díaz Ordaz había hablado muchas veces de que la anarquía sigue después del desorden. Díaz Ordaz creía muy fuertemente en la autoridad y la jerarquía. Con respecto a las protestas él dijo, "Existe la necesidad imperiosa de mantener íntegramente el principio de autoridad". También había dicho, "nadie tiene fueros contra México". Y como se podía ver claramente, había desorden por todas partes de la república y también había muchas personas en contra del gobierno mexicano.

El 2 de octubre del 1968, la plaza de las Tres Culturas de Tlatelolco se llenaba de entre cinco y diez mil personas para escuchar a ciertos líderes que iban a hablar. El ejército rodeó a la gran cantidad de gente como siempre hacía en las protestas. De repente había disparo desde una dirección y inmediatamente había disparo desde ambos lados. El ejército usó muchas armas contra los estudiantes incluso los tanques. Había más de dos mil personas detenidas esa noche, muchas golpeadas y un número desconocido de muertes.

Intentando justificar los acontecimientos de esa noche, Díaz Ordaz dijo que los estudiantes intentaron hacer suya la plaza y trataron de tomar la Secretaría de Relaciones Exteriores. Dijo también que el ejército sólo intentó impedir que los estudiantes hagan eso, que el ejército nunca quería hacerlo con violencia pero después de ataques de la gente no tuvo otra opción. Díaz Ordaz dijo que todo eso fue el deber del gobierno por todo el país contra el desorden. Díaz Ordaz echó al movimiento estudiantil la culpa de la matanza y sus propias muertes.

Sin embargo, la voz del gobierno no era la única voz conocida que habló de esta matanza. Octavio Paz, un poeta buen conocido por todas partes del mundo, y entonces embajador mexicano en la India, habló en contra de las acciones del gobierno comparándolas con las de los Aztecas diciendo, "El asesinato de los estudiantes fue un sacrificio ritual...se trataba de aterrorizar a la población, usando los mismos métodos de sacrificios humanos de los Aztecas." Octavio Paz estuvo tan fuertemente en contra del gobierno mexicano respecto del 2 de octubre que renunció a su puesta como embajador.

A causa de las acciones de esa noche, bajo la orden del entonces Secretario de Gobernación, Luis Echeverría, la sucesión de la presidencia fue ganada. Díaz Ordaz respetaba a Echeverría tanto desde hacía muchos años y aun más después de esa noche, por la manera de manejar la situación y mantener el orden político, que eligió que Echeverría lo siga en la siguiente elección. Todo el gobierno siguiente fue basado en las acciones de esa noche. Díaz Ordaz mantenía su opinión de los acontecimientos del 2 de octubre hasta su muerte y aun dijo, "de lo que estoy más orgulloso es del año de 1968, porque me permitió servir y salvar al país del desorden, del caos, de que se terminaran las libertades que disfrutamos…"

_____

_____

_____

_____

_____

_____

_____

_____

_____

_____

_____

Escribe la cita directa correspondiente para cada cita indirecta. Toma en cuenta el tiempo verbal, la persona y cualquier otra palabra que indique tiempo (anoche, mañana) o espacio (aquí, ese).

1. La Sra. Ojeda nos dijo que abriéramos nuestros libros a la página 161.

   Nos **dijo**: "_____".

2. Siempre me dices que no tienes ganas.

   Le **dice**: "_____".

3. Mi maestra de música me dice que toco bien la batería.

   ¿Te **dice**: "_____"?

4. Me preguntaron que por qué había hecho el proyecto así.

   Te **preguntamos**: "¿_____?"

5. Le pregunté dónde se encontraban los baños.

   Me **dijo**: "¿_____?"

6. Cada vez que me marcho, mi papá me dice que tenga cuidado con el coche.

   Le **dice**: "_____".

7. Les dijimos que se cuidaran.

   Les **dijeron**: "_____".

8. Le dije que me pasara la sal.

   Me **dijo**: "_____".

9. Les dije que no podían jugar porque había demasiadas cosas que hacer.

   Nos **dijiste**: "_____".

10. Le dije a mi hijo que el examen era difícil y que tendría que estudiar mucho si quería aprobarlo.

   Me **dijo**: "_____".

En inglés, el gerundio puede servir de sustantivo o de adverbio mientras que, en español, solo sirve de adverbio. En casos impersonales del verbo en los que se requiere un sustantivo, solo el infinitivo sirve. Piénsalo así: el infinitivo contesta la pregunta "qué" y el gerundio contesta la pregunta "cómo". Para cada oración, llena el espacio en blanco con la forma impersonal correcta.

1. Después de _____, pasé un rato en el *jacuzzi*. (nadar/nadando)

2. _____ en el *jacuzzi*, después de un rato, empecé a relajarme. (estar/estando)

3. _____ en el jacuzzi es bueno para la circulación. (bañarse/bañándose)

4. Por _____ bañado en el jacuzzi, regresé a casa sin dolor. (haberme/habiéndome)

5. _____ bañado en el jacuzzi, regresé a casa sin dolor. (haberme/habiéndome)

6. _____ al tenis con mi amiga es muy divertido. (jugar/jugando)

7. _____ al tenis, puedo pasar un buen rato con mi amiga. (jugar/jugando)

8. Ayer, hablamos tanto que pasamos todo el rato sin _____ un set. (acabar/acabando)

9. Me encanta _____ con ella sobre todo. (hablar/hablando)

10. _____ con ella, puedo desahogarme de mis preocupaciones. (hablar/hablando)

11. Es estresante _____ muy lejos de casa. (trabajar/trabajando)

12. _____ muy lejos de casa, me estreso mucho. (trabajar/trabajando)

13. Prefiero _____ en casa porque tengo mi propio baño. (trabajar/trabajando)

14. _____ en casa, tengo mi propio baño… y a mi gato. (trabajar/trabajando)

15. En casa, puedo trabajar sin _____ duchado antes. (haberme/habiéndome)

16. _____ libros mejorará tu vocabulario. (leer/leyendo)

17. _____ libros, mejorarás tu vocabulario. (leer/leyendo)

18. _____ leído un poquito en cama, estoy lista para dormir. (haber/habiendo)

19. Ellas se fueron _____, pero no sé por qué. (correr/corriendo)

20. Ellas se fueron a _____, pero no sé por dónde. (correr/corriendo)

Para cada adjetivo o adverbio, propón un sinónimo *y* un antónimo.

	sinónimo	**antónimo**
1. atractiva		
2. ricos		
3. delante		
4. previamente		
5. perezosos		
6. adepto		
7. cerca		
8. tacaño		
9. chistosa		
10. desnudo		
11. obstinadas		
12. impulsivo		
13. escondido		
14. muy		
15. quietas		
16. pequeño		
17. triunfante		
18. dañoso		
19. repentina		
20. extraño		

Actividad #203

Escribe unas oraciones originales utilizando el sustantivo indicado y los verbos *conocer* y *saber*.

1. un país hispanohablante: _____

_____

2. algunos vinos de Portugal _____

_____

3. las escrituras de Jorge Luis Borges: _____

_____

4. la biblioteca pública de tu ciudad: _____

_____

5. un grupo musical de Chile: _____

_____

6. algún sistema educativo alternativo: _____

_____

7. el poeta griego Homero: _____

_____

8. un *software* para editar videos: _____

_____

9. una buena marca de guitarra: _____

_____

10. las calles de París: _____

_____

Para cada oración, escribe la mejor respuesta en el espacio en blanco.

1. Se usan todos estos instrumentos para trabajar en el jardín menos _____.

    a. el azadón   b. la fregona   c. la manguera   d. el rastrillo

2. Todos tienen "estaciones" excepto _____.

    a. la policía   b. la radio   c. el año   d. una serie televisiva

3. Todas estas construcciones verbales son gramaticalmente correctas menos _____.

    a. comerlo   b. comídolo   c. comiéndolo   d. cómelo

4. Todos estos se llevan en torno al cuello salvo _____.

    a. el collar   b. el cinto   c. la bufanda   d. la corbata

5. Todos son fracciones menos _____.

    a. un medio   b. un tercio   c. una quinta parte   d. un cuarto

6. Todos son peces marinos excepto _____.

    a. la tripa   b. el tiburón blanco   c. el salmón   d. el bacalao

7. Todos son adjetivos masculinos salvo _____.

    a. aquel   b. esto   c. mucho   d. femenino

8. Todos se tratan de fuego menos _____.

    a. las fogatas   b. los incendios   c. las llamas   d. las fieras

9. Todos estos son pronombres personales de sujeto excepto _____.

    a. vos   b. vosotros   c. nos   d. nosotros

10. Todos son rangos del ejército menos _____.

    a. almirante   b. teniente   c. coronel   d. sargento

Actividad #205

Completa cada situación **hipotética** llenando el espacio en blanco con la conjugación correcta del verbo entre paréntesis. ¡Ojo! Los demás verbos te darán una pista.

1. Ella _____ ir en mi lugar si yo no asistiera. (necesitar)

2. Me habrías tenido que recompensar si la _____. (romper)

3. ¿Insistirías en hacerlo aunque otro _____ hacerlo por ti? (ofrecer)

4. Tú y yo lo _____ esta tarde si nos dieran la oportunidad. (proponer)

5. ¿Qué harías si ellos te _____ que no? (decir)

6. ¿Habrías sacado la basura si yo no _____ que lo hicieras? (pedir)

7. Yo que tú, _____ en cama todo el día hoy para recuperarme. (quedarse)

8. Él _____ su libro a tiempo si no se le hubiera pinchado la llanta. (devolver)

9. Yo no me habría chocado si vosotros no me _____ distrayendo. (estar)

10. ¿Quién no _____ con mi hermana si estuviera soltera? (salir)

11. Tú _____ la botella equivocada si no te hubiera estado mirando. (abrir)

12. _____ la pena si Uds. se comprometieran a negociar. (valer)

13. ¿Qué habrías hecho si ellos te _____ que no? (decir)

14. Yo que tú, _____ en cama todo el día ayer para mejorarme. (quedarse)

15. Los jóvenes _____ tarde cada día si su mamá no los llevara. (venir)

16. Yo no _____ el error si no hubiera escrito este ejercicio. (descubrir)

17. Yo no _____ a tiempo si no me hubieras llamado. (despertarse)

18. Mi tía no _____ del virus si se hubiera vacunado. DEP. (morirse)

19. Yo no _____ bastantes si no hubieras cambiado las cifras. (imprimir)

20. _____ tu peor error si te negaras a cumplirlo. (ser)

Actividad #206

Indica si, según tu educación, crees que el comportamiento indicado son buenos modales, malos modales o si da igual. No hay respuesta correcta; concéntrate en la comprensión.

	buenos modales	malos modales	da igual
1. Lamber tu plato para no desperdiciar el sirope o yema de huevo.	_____	_____	_____
2. Saludar con la cabeza a tu jefa.	_____	_____	_____
3. Agarrar una figura de la colección de un amigo sin pedir permiso.	_____	_____	_____
4. Pedir que tu anfitrión te sirva un segundo plato en su casa.	_____	_____	_____
5. Llevar una gorra puesta mientras cenas en un restaurante.	_____	_____	_____
6. No darle la mano a la gerenta al conocerla antes de tu entrevista.	_____	_____	_____
7. Escuchar música con audífonos a las 2:00 de la madrugada.	_____	_____	_____
8. Decirle a tu mamá que no te gusta la comida nueva que te preparó.	_____	_____	_____
9. Rasguñarte discretamente la entrepierna en público si te pica.	_____	_____	_____
10. Mandar invitaciones para una fiesta con hora de empezar.	_____	_____	_____
11. Echarte un pedo en un elevador con otra gente presente.	_____	_____	_____
12. Prepararte un té en tu casa sin preguntar si otros quieren uno.	_____	_____	_____
13. Llegar tarde a una fiesta en casa ajena sin avisar al anfitrión.	_____	_____	_____
14. Comer la última tajada de torta sin preguntar si otro la desea.	_____	_____	_____
15. Cancelar planes con una amiga al enterarse de una emergencia.	_____	_____	_____
16. Ir al baño durante la cena en tu casa sin disculparte.	_____	_____	_____
17. Pedir una caja para llevar tus sobras en la casa de un amigo.	_____	_____	_____
18. Textear durante la cena en tu propia casa sin disculparte.	_____	_____	_____
19. Mandar invitaciones para una fiesta con hora de terminar.	_____	_____	_____
20. Darle la mano a tu mejor amiga al reunirte con ella en un café.	_____	_____	_____
21. Contestar la puerta de tu casa llevando solo tus calzoncillos.	_____	_____	_____
22. Cortarte las uñas con el cortaúñas de tu anfitrión en su baño.	_____	_____	_____
23. Llegar 30 minutos tarde a recoger a tu amigo sin avisarle.	_____	_____	_____
24. Morderte las uñas en la casa de un buen amigo.	_____	_____	_____
25. Textear durante la cena en casa ajena si te disculpas.	_____	_____	_____
26. Ir al baño durante la cena en un restaurante sin disculparte.	_____	_____	_____
27. Rasguñarte indiscretamente las nalgas en público si te pican.	_____	_____	_____

Pon las palabras del banco en sus categorías respectivas. Para las palabras que desconozcas, sigue tus primeros instintos. Una vez que tengas las seis categorías llenas, investiga tus dudas.

frutas	roedores	especias

proveedor, ardillita, media, albahaca, cereza, cobaya, frente, frutilla, canela, granada, coipo, cartero, cachucha, tomillo, ciruela, perejil, carpincho, pimentón, chamana, cachete, dueña, romero, jerbo, arándano, rata, seno, saco, maracuyá, hechicera, cúrcuma, socia, anís, cinto, sacerdote, puercoespín, aguaí, dependiente, tuna, castor, empresario, chinchilla, manopla, ombligo, marmota, albornoz, tobillo, chamarra, albaricoque, palma, esmoquin, talón, comino, labio, boina, zapatero, eneldo, párpado, sien, melocotón, pantufla

partes del cuerpo	personas	prendas de vestir

Para formar cada oración, cambia el orden de palabras y puntuación para que tenga sentido.

1. asfalto se el su quebró chocó cuando casco con .

_____

2. comida que engullendo mes come su hiciera no como si un está .

_____

3. según haber tres torno los estrellas en cálculos , orbite que puede un planeta a .

_____

4. toda lo urgencias temían hubiera dental a pasta llevaron porque que comido la .

_____

5. les razón caso no más porque fácil tuvieran hice era sino porque .

_____

6. que idioma comprensible tal más cuanto más te sea expongas al , con aprenderás de .

_____

7. porque apagarla puse pared , pero la tuve dieron que vecinos música los en .

_____

8. por llegó a como cartas jugamos una, pero las hora se cuando Raquel acabó.

_____

9. renacimiento y armadura los todo y blanden del festival espadas de escudos aficionados llevan y .

_____

_____

10. puede la "dientes a fideos la dinero, lavarte portada pasta referirse de un los libro" , o algo para .

_____

_____

Para cada verbo conjugado, escribe el sujeto, el tiempo verbal, el modo y su infinitivo.

1. **vais**   sujeto _____   tiempo verbal _____

   infinitivo _____   modo _____

---

2. **fotografía**   sujeto _____   tiempo verbal _____

   infinitivo _____   modo _____

---

3. **saldrías**   sujeto _____   tiempo verbal _____

   infinitivo _____   modo _____

---

4. **vengaron**   sujeto _____   tiempo verbal _____

   infinitivo _____   modo _____

---

5. **apacigüe**   sujeto _____   tiempo verbal _____

   infinitivo _____   modo _____

---

6. **veamos**   sujeto _____   tiempo verbal _____

   infinitivo _____   modo _____

---

7. **cedí**   sujeto _____   tiempo verbal _____

   infinitivo _____   modo _____

Todas las oraciones siguientes contienen por lo menos un error, sea ortográfico, léxico o gramatical. Reescribe las oraciones corrigiendo todos los errores que identifiques. ¡Ojo! Cambiar alguna cosa de una palabra puede obligarte a cambiar otra cosa de otra palabra para que concuerden.

1. Su cuenta sobre su encuentro con el oso en el bosque sueña ridicula.

_____

2. Me interesa en jugando al golf este fin de semana.

_____

3. No puedo creer que he hacido dosciento y once actividades en esto libro.

_____

4. Mi amigo dice que quiere crecer cucumbres en su yarda.

_____

5. Ojala puedo ir contigo la próxima viernes.

_____

6. Voy a duchar antes de tú.

_____

7. Ese niño me dolió cuando me empujó.

_____

8. ¿Quieres escuchar a la música o mirar a los fotos?

_____

9. Gracias para me enviar la información.

_____

10. Voy a visitar mi hermana cuando soy en vacación.

_____

Completa la tabla con las formas indicadas del verbo *ver*.

el presente del indicativo   **el presente del subjuntivo**

_____ _____ | _____ _____

_____ _____ | _____ _____

_____ _____ | _____ _____

el imperfecto del indicativo   **el imperfecto del subjuntivo (ra)**

_____ _____ | _____ _____

_____ _____ | _____ _____

_____ _____ | _____ _____

el pretérito del indicativo   **el imperfecto del subjuntivo (se)**

_____ _____ | _____ _____

_____ _____ | _____ _____

_____ _____ | _____ _____

el futuro simple del indicativo   **el imperativo**

_____ _____ | _____

_____ _____ | _____

_____ _____ | _____ _____

el condicional del indicativo   **el gerundio**   **el participio pasado**

_____ _____ | _____ _____

_____ _____ |

_____ _____ |

Actividad #212

Primera reacción. ¿Qué exclamarías ante las cosas o situaciones siguientes? Para cada oración, llena el hueco con un vocablo lógico (adjetivo o sustantivo). Puede que haya múltiples posibilidades.

1. ¿Tienes que pasar toda tu jornada laboral en un cubículo? ¡Qué _____!

2. ¿Tienes que poner a dieta a tu gato? ¡Qué _____!

3. Ella primero quiere hacer esto y luego quiere hacer eso. ¡Qué _____ es!

4. ¿Ella ganó el campeonato de tenis? ¡Qué _____ es!

5. Eva y Concha donan el 50% de su sueldo a causas benéficas. ¡Qué _____ son!

6. ¿Cada vez que se levanta, él te pregunta si deseas algo? ¡Qué _____ es!

7. ¿Cada vez que se levanta, te pregunta si deseas algo? ¡Qué _____ eres, Ana!

8. ¿Ellas tienen que saber dónde están sus novios cada minuto? ¡Qué _____ son!

9. ¿No gastas dinero que no tengas? ¡Qué _____!

10. ¿Él dijo que hizo trescientas dominadas en quince minutos? ¡Qué _____!

11. ¿Ellas vuelven a maquillarse cada hora? ¡Qué _____!

12. ¿Tú mamá te hace cumplir tus deberes cada día, aun el sábado? ¡Qué _____!

13. ¿Tus hijos abrieron la puerta para esa señora? ¡Qué _____!

14. Adán mastica su chicle con la boca abierta de par en par. ¡Qué _____!

15. Marisol pone pepinillo en su sándwich de crema de cacahuate. ¡Qué _____!

16. ¿Tu hermano pintó ese cuadro tan hermoso? ¡Qué _____!

17. ¿Tienes ratones en tu sótano? ¡Qué _____!

18. ¿Perdieron el partido treinta y ocho a cero? ¡Qué _____!

19. ¿Todas las luces de la ciudad se apagaron? ¡Qué _____!

20. ¿Se te cayó tu teléfono mientras andabas en bici? ¡Qué _____!

Los adjetivos descriptivos van pospuestos al sustantivo al que describen para dar contraste. En cambio, suelen ir antepuestos al sustantivo para quitar el contraste y mostrar una característica inherente del dicho sustantivo. Para cada sustantivo a continuación, escribe una oración original con adjetivo pospuesto y otra oración con el mismo adjetivo antepuesto.

1. **música**: _____

_____

2. **aviones**: _____

_____

3. **vegetales**: _____

_____

4. **recuerdos**: _____

_____

5. **alojamiento**: _____

_____

6. **documentales**: _____

_____

7. **atardeceres**: _____

_____

8. **huesos**: _____

_____

9. **fantasmas**: _____

_____

10. **bombas**: _____

_____

Hagamos poesía. Termina cada estrofa con un verso acorde con la rima indicada. Ni tú ni yo somos Pablo Neruda así que no te preocupes de escribir algo profundo. Nomás diviértete.

1. Teresa tiene tres tatarabuelos (A)
   Tomás tomó tu trono (B)
   Tati tiñe tus terciopelos (A)

   _____ (B)

2. Se llama "arte por el arte" (A)
   Pues "poesía por la poesía" (B)
   Si hacemos todos nuestra parte (A)

   _____ (B)

3. Ocho mitades son dos doses (A)
   Cuatro cuartos, un uno (B)
   ¿Cómo cuentas cuando coses? (A)

   _____ (B)

4. ¿Será que las arañas se arañan? (A)
   ¿O aun que los ladrones ladran? (A)
   Cuántos misterios (B)
   Ni sé los criterios (B)

   _____ (A)

5. A, be, ce, de, e, efe, ge (A)
   Hache, i, jota y el resto me lo sé (A)
   El abecedario es el alfabeto (B)

   _____ (B)

6. Na, na, na y no sé qué (A)
   No sé qué y no sé cuánto (B)
   No se sabe qué me sé (A)

   _____ (B)

Actividad #215

Lee la lectura siguiente y llena cada hueco con un vocablo lógico según el contexto. Si falta un verbo conjugado, asegúrate de conjugarlo de manera lógica. ¡Ojo! Habrá múltiples posibilidades. La idea no es tener razón, sino explorar el uso del idioma y retarse.

¡Hola! Mi nombre es Liliana. Tengo 53 años y soy madre _____. O sea, nunca quise casarme. Vivo en una casa humilde de _____ mediano con mis dos hijos, Memo y Sebastián. Memo es el _____ y tiene quince años. Sebastián es el _____ y tiene diecisiete.

Mis hijos son estudiantes, pero no les gustan las _____ clases. A Memo le gustan las clases de matemáticas y de ciencias. Este semestre, está tomando la clase de álgebra 2 y la química. Saca muy buenas _____ en todas sus clases, pero él cree que las clases de arte y de música son más difíciles. A diferencia de los gustos y talentos de Memo, a su hermano mayor le *encantan* las clases de arte y de música. Sebastián está tomando clases de coro, orquesta y diseño gráfico y es muy buen estudiante. Ninguno es muy _____, pero los dos participan en el equipo de atletismo porque les gusta _____. Después de la escuela, cuando no se están _____ para el atletismo, o estudian en la biblioteca o trabajan de tutores. A los dos les gusta ayudar a sus compañeros de clase.

Como mis hijos ya no son niños, se pueden _____ para la escuela sin mi ayuda. Se despiertan alrededor de las 6:30 de la mañana y _____ inmediatamente después. Se duchan, _____ los dientes, _____ el pelo, y se visten de ropa _____ y _____ como los pantalones cortos de básquetbol, zapatos de tenis, una camiseta y una cachucha, aun cuando está _____ y hace mucho frío; nunca llevan gorros, _____ ni botas.

Después de vestirse, _____ de su recámara y preparan sus almuerzos mientras

_____ cereal con frutas. A eso de las 7:15, se van de casa para la escuela.

Además de ser madre, soy _____. Es decir que me dedico a la salud de los animales. Tengo un trabajo de tiempo _____; sólo trabajo los lunes, martes y jueves. Normalmente mis días son _____, pero el viernes pasado, hice muchas cosas. Primero, _____ a las 7:00 de la mañana, _____ la bata y fui a la _____ para prepararme un cafecito y hablar con mis hijos. Cuando ellos salieron de casa, yo fui al baño para alistarme. _____ la bata y la _____ en el gancho de la puerta del baño. Luego, me quité el pijama para _____. Como lo suelo hacer, _____ el pelo en la ducha y me lo cepillé después de _____. Me vestí de una falda _____ y _____, una camisa de _____ larga, una bufanda de seda y los zapatos sin tacón. No me maquillé porque no me _____ maquillarme durante la semana. Después de vestirme, _____ de casa a pie y fui a mi _____ favorito para desayunar con mi mejor amiga. Después de desayunar, mi amiga y yo fuimos al _____ para ver una película A mí me gustó pero a ella no. Después de la película, ella fue a trabajar y yo tomé el _____ a la oficina de correos para enviar un _____ y comprar _____. De allí, fui caminando a la _____ para recoger medicina y comprar desodorante, _____ e hilo dental. Después, tomé un taxi al banco para hablar con el gerente sobre una comisión que me _____ y, también, para _____ dinero del cajero automático. Después de hacer todo eso en el banco, fui a pie a la _____ de autobús para tomarlo al supermercado para comprar comida para la fiesta de cumpleaños de mi hermana Claudia.

Yo le di una fiesta especial para su 50 cumpleaños y todo el mundo _____.

Nuestras tías _____ entremeses y yo preparé cena para 23 personas así que

servimos muchas diferentes comidas para todos. Para los entremeses, mi tía Carmen trajo una

ensalada de frutas y mi tía Pepa trajo totopos _____ (preparados a mano). Para

los totopos, yo serví queso _____, guacamole, crema, frijoles negros a la olla (no

_____) y salsa brava porque a Claudia le encanta la comida pero *muy*

_____. Para la cena, _____ al horno enchiladas de pollo con

tortillas de _____, mi famosa salsa verde y queso _____.

También hice tacos al pastor (_____ rostizado, piña, cilantro y cebolla con

limón) con tortillas doradas y tortillas de harina. Además de todo eso, preparé chiles

_____ y _____ asada. A todos los invitados les encantó toda la

comida. Siempre me dicen que, solo con _____ mi comida, se les hace agua la

boca. ¡Qué _____ soy de tener a todos en mi vida!

Actividad #216

Es tiempo de "*Mad Libs*". Sin leer de antemano las historias a continuación, escribe dos distintas palabras creativas e interesantes que cumplan con la gramática indicada para cada número. Luego lee las historias, introduciendo las palabras que hayas escrito en los espacios correspondientes.

	Historia A	Historia B
1. Profesión en femenino	_____	_____
2. Estado de ánimo femenino	_____	_____
3. Evento masculino	_____	_____
4. Verbo de acción (infinitivo)	_____	_____
5. Seres vivos masculinos	_____	_____
6. Verbo de acción (infinitivo)	_____	_____
7. Cosa femenina	_____	_____
8. Verbo de acción (infinitivo)	_____	_____
9. Cosa masculina o femenina	_____	_____
10. Cosas masc. o femeninas	_____	_____

Historia A:

La ____1____ estuvo a salvo, de eso estaba segura, pero aún estaba ____2____ después de lo del ____3____. Para recuperarse, tenía que ____4____, pero era difícil porque todos los ____5____ no la dejaban en paz. Por fin se le ocurrió una solución: decidió ____6____ los con una ____7____. Solo había un problema: ella no tenía una ____7____ y no sabía por dónde buscarla. Así que, al final, en vez de ____6____ los, tomó la decisión de ____8____ con ellos y con un poco de ____9____, la ____1____ y los ____5____ se volvieron ____10____.

Historia B:

"La ____1____", la llaman. Algunos dicen que la llaman así porque ella siempre está ____2____, mientras que otros dicen que la llaman así por lo que pasó en el ____3____ hace un par de años. Eso es cuando todos trataron de ____4____ por primera vez y se comportaron como verdaderos ____5____. Ante todo eso, ella quiso ____6____ con una ____7____, la cual solía ____8____ en su ____9____. Cuando buscó la ____7____ en su ____9____ y vio que no estaba, ella le dio a alguien su ____10____ y el resto es historia.

Actividad #217

Reescribe las oraciones siguientes cambiando la voz pasiva por la voz activa. Si no hay sujeto escrito para la voz activa, por la naturaleza de la voz pasiva, tendrás que inventar uno lógico.

1. Sus rivales fueron derrotados, pero no olvidados.

_____

2. La nota fue tirada a través de la ventana y encontrada por alguien allí abajo.

_____

3. Quizá todos los secretos del universo serán revelados cuando muramos.

_____

4. El calendario fue publicado con varios errores y, por lo tanto, la casa de impresiones se clausuró.

_____

_____

5. No se debe tocar la batería pasadas las 9:00 de la noche.

_____

6. El aire es contaminado por los combustibles fósiles que se extraen de la tierra.

_____

7. La cabra fue sacrificada por la tribu para apaciguar a su dios.

_____

8. La paciente fue envenenada por una víbora cuando se cruzó en su camino.

_____

9. La familia fue corrida de su apartamento por no haber pagado la renta a tiempo.

_____

10. Los aldeanos fueron despojados de sus tierras por el volcán que amenazaba.

_____

Actividad #218

Escribe la cita directa correspondiente para cada cita indirecta. Toma en cuenta el tiempo verbal, la persona y cualquier otra palabra que indique tiempo (anoche, mañana) o espacio (aquí, ese).

1. Les dije que no pusieran música porque su hermanito estaba dormido.

    Nos **dijo**: "_____".

2. Me dijiste que la temporada ya había terminado.

    Me **dijiste**: "_____".

3. Os dijo que os tranquilizarais porque no había ningún problema.

    Os **dijo**: "_____".

4. Te he dicho que me marcho hoy a las 4:00.

    Te he **dicho**: "_____".

5. Le dijimos que saldríamos de vacaciones la noche siguiente.

    Le **dijimos**: "_____".

6. Te pregunté a vos si querías acompañarme.

    Te **pregunté**: "¿_____?"

7. Nos preguntaste si íbamos a cortarnos el pelo ese día o el siguiente.

    Nos **preguntaste**: "¿_____?"

8. Te dije que teníamos tiempo y que entregaríamos el reporte cuando lo tuviéramos listo.

    Me **dijiste**: "_____".

9. Te dije que no miraras los gráficos hasta que se finalizaran.

    Te **dije**: "_____".

10. Mi tío dice que conoció a Elvis Presley cuando él y su esposa estaban de vacaciones.

    Mi tío **dice**: "_____".

Vosotros o vos. Completa la tabla con la forma de segunda persona familiar que falte. ¡Ojo! "Vos" solo se diferencia de "tú" en el **presente del indicativo** y las **formas afirmativas del imperativo**.

	vosotros/as	vos
1.	camináis	_____
2.	_____	sé
3.	_____	inscribite
4.	_____	traémelo
5.	apagadla	_____
6.	_____	pedís
7.	_____	vení
8.	queréis	_____
9.	_____	reíte
10.	ibais	_____
11.	andad	_____
12.	id	_____
13.	hacéis	_____
14.	poneos	_____
15.	_____	ve
16.	_____	comés
17.	pudisteis	_____
18.	tened	_____
19.	_____	está
20.	_____	da

Actividad #220

Escribe unas oraciones originales utilizando el sustantivo indicado y los verbos *haber*, *ser*, *estar* y *parecer*.

1. **concierto**: _____

_____

2. **zapatillas**: _____

_____

3. **latas**: _____

_____

4. **helados**: _____

_____

5. **ventana**: _____

_____

6. **autobús**: _____

_____

7. **terreno**: _____

_____

8. **drogas**: _____

_____

9. **arrecife**: _____

_____

10. **lobo**: _____

_____

Actividad #221

Para cada oración, escribe la mejor respuesta en el espacio en blanco.

1. Todas estas descripciones suelen considerarse negativas menos _____.

    a. entremetido   b. perezoso   c. consentido   d. sensato

2. Todos son adjetivos posesivos menos _____.

    a. mía   b. cuyo   c. tía   d. suyo

3. Las palabras de cada par son sinónimas salvo _____.

    a. planear/planificar   b. influir/influenciar   c. agotar/gotear   d. librar/liberar

4. Todas estas frases requieren el subjuntivo excepto _____.

    a. menos mal que   b. con tal de que   c. a menos que   d. con el fin de que

5. Toda esta jerga significa "buenísimo" o "estupendo" menos _____.

    a. chévere   b. madre   c. bacán   d. padre

6. Todos son maneras de hablar excepto _____.

    a. murmurar   b. susurrar   c. balbucear   d. tararear

7. Todos son sinónimos de "levantar" salvo _____.

    a. elevar   b. portar   c. subir   d. alzar

8. Se encuentran payasos en todos estos lugares excepto _____.

    a. el circo   b. películas de terror   c. el cielo   d. fiestas de cumpleaños

9. Se cocina la comida en todos menos _____.

    a. una plancha   b. una olla   c. una licuadora   d. una parrilla

10. Los torneos cuentan con todos estos salvo _____.

    a. participantes   b. empates   c. rondas   d. triunfos

Actividad #222

Reescribe las siguientes oraciones en negativo (o afirmativo si ya están en negativo), sustituyendo el indicativo de los verbos subrayados por el subjuntivo correspondiente y cualquier otra palabra que sea necesaria (también/tampoco, si/aunque, etc.).

1. Hemos podido confirmar que los náufragos llegaron a la isla sanos y a salvo.

_____

2. No dudo que habías entregado tu tarea antes de la fecha tope.

_____

3. Te dije que ya eran las 4:00 pasadas y que debías parar.

_____

4. Estoy segura de que dormís lo suficiente.

_____

5. Es evidente que ella ha hecho un buen trabajo y que se merece una promoción.

_____

6. No negamos que llevarlo a cabo será un proceso muy duro.

_____

7. Confieso que renunciaría a mi puesto si ganara el premio gordo.

_____

8. Veo que les gusta mi obra de arte.

_____

9. Me da la impresión de que lo habrá logrado antes del fin del año.

_____

10. Siento que ella me lo habría dicho si se hubiera enterado de algo al respecto.

_____

Actividad #223

Indica si los comentarios siguientes son absurdos o normales. Para los absurdos, a ver si puedes sustituir un vocablo para hacer el comentario normal.

	absurdo	normal
1. Este pastel de calabaza está bien rico. ¿Me das tu receta?	_____	_____
2. Mi papá quería que te saludara de su parte.	_____	_____
3. El sótano tiene una vista magnífica al lodo.	_____	_____
4. Busco comprar un colchón usado que tenga chinches.	_____	_____
5. Me gustan las pasas en mi cereal.	_____	_____
6. Nunca meriendo porque almuerzo mucho.	_____	_____
7. Los calcetines cuestan $4.99 cada uno.	_____	_____
8. Plancho mi ropa al sacarla de la secadora.	_____	_____
9. El balcón del tercer piso tiene una vista magnífica al oeste.	_____	_____
10. Riego con manguera los muebles del patio para lavarlos.	_____	_____
11. Cada diamante es único, como los copos de nieve.	_____	_____
12. Compro casi toda me ropa de tiendas de segunda.	_____	_____
13. Es emocionante que tantos pájaros exóticos vivan en jaulas.	_____	_____
14. ¿Vas a ver a tu papá? Salúdalo de tu parte.	_____	_____
15. Buen viaje, pero mucho ojo, ¿eh?	_____	_____
16. La confidencialidad médica es sobrevalorada.	_____	_____
17. La escarcha temprana ha matado algunas plantas de mi jardín.	_____	_____
18. Este rinoceronte está bien rico. Me tendrás que pasar tu receta.	_____	_____
19. El progreso es obsoleto; el conservadurismo es el futuro.	_____	_____
20. Revivir a los mamuts lanudos traerá la ira de los dioses.	_____	_____
21. La universidad graduó a 3279 estudiantes el año pasado.	_____	_____
22. Los avances en la medicina occidental no han ayudado a nadie.	_____	_____
23. Me llamo Pilar Delgado del Castillo.	_____	_____
24. Una llama es un buen animal de apoyo emocional en un avión.	_____	_____
25. El rocío en el césped en las mañanas me recuerda a mi niñez.	_____	_____
26. La "serie mundial" de béisbol apenas es internacional.	_____	_____
27. Puso una cerca alrededor de su cama para tener privacidad.	_____	_____

Que una cualidad sea buena o mala es subjetivo y, claro, depende de quién opine y de sobre quién se opine. Pon las palabras del banco en sus categorías respectivas para cada persona, asumiendo que así es contigo y con los demás a tu alrededor. Cambia el género de los adjetivos según se necesite.

obediente, celoso, coqueto, exigente, franco, caprichoso, cariñoso, emocional, modesto, idealista, impulsivo, ingenuo, leal, metiche, necio, perfeccionista, reservado, sensible, sincero, vanidoso

1. tu pareja romántica

buenas cualidades: _____

_____

malas cualidades: _____

_____

2. tu jefe/a

buenas cualidades: _____

_____

malas cualidades: _____

_____

3. tus hijos/as

buenas cualidades: _____

_____

malas cualidades: _____

_____

3. tu mejor amigo/a

buenas cualidades: _____

_____

malas cualidades: _____

_____

Actividad #225

Para formar cada oración, cambia el orden de palabras y puntuación para que tenga sentido.

1. primavera la mejor gusta me nieve esquiar en el , pero la invierno está en .

_____

2. queso torta , lechuga me apio una de preparé con pollo mayonesa , cebollín , y .

_____

3. bebé ojos colores los desarrollan cada y nace marrones luego ojos demás o con azules o con se .

_____

_____

4. sensibilidad y migraña los náuseas la síntomas de incluyen a luz .

_____

5. y cuantos calzoncillos de empaqué un calcetines ya camisas par, unos pares de , unos .

_____

6. que el correos única pasado pasaporte aplicar vez para la a la oficina de fue año fue para su .

_____

_____

7. producida la delicada una es tela tipos gusanos y suave por varios de seda .

_____

8. mucho permite gallinas mi como barrio, se en seis que una residencia tenga .

_____

9. alguien no es despedir igual a de alguien despedirse que .

_____

10. ni cruz moneda dice cruz " aunque o " cara la se tenga ni cara no .

_____

Actividad #226

Para cada verbo conjugado, escribe el sujeto, el tiempo verbal, el modo y su infinitivo. Luego escribe una oración original utilizando el verbo conjugado en contexto.

1. **matáramos**   sujeto _____   tiempo verbal _____

   infinitivo _____   modo _____

_____

2. **planteé**   sujeto _____   tiempo verbal _____

   infinitivo _____   modo _____

_____

3. **vuelen**   sujeto _____   tiempo verbal _____

   infinitivo _____   modo _____

_____

4. **han bendecido**   sujeto _____   tiempo verbal _____

   infinitivo _____   modo _____

_____

5. **supliques**   sujeto _____   tiempo verbal _____

   infinitivo _____   modo _____

_____

6. **nos sintamos**   sujeto _____   tiempo verbal _____

   infinitivo _____   modo _____

_____

7. **desperdiciaría**   sujeto _____   tiempo verbal _____

   infinitivo _____   modo _____

_____

Actividad #227

Llena el espacio en blanco con la conjugación más apropiada de las opciones entre paréntesis.

Delgado – Parte I

Era marzo de 2015 y yo _____ (acabo/acababa) de escribir mi primer

libro y el manuscrito _____ (fue/estuvo/era/estaba) en las manos de mi

editora. Con ansias de ver completado el proyecto pero sin el poder de llevarlo a cabo en aquel

momento, _____ (decidí/decidía) ir de vacaciones para despejar la mente. Así

que _____ (fui/he ido) a buscar a una vieja amiga que había pasado ya más de un

año y medio explorando Chiapas, México. Ella _____ (fue/iba) en dirección de

Guatemala y yo _____ (quise/quería) interceptarla en Chetumal, México y

cruzar con ella en ferri a Cayo Caulker, Belice.

_____ (Empaqué/Empacaba) en una mochila de tamaño mediano

suficiente ropa para nueve días y, con mi pasaporte, tarjeta de débito y celu en mano, yo

_____ (fui/estuve/era/estaba) listo. _____

(Tomé/Tomaba) un vuelo baratísimo sin escalas de Denver a Cancún y todo _____

(salió/salía) bien. Cuando _____ (llegué/llegaba), _____

(recogí/recogía) mi mochila, _____ (pasé/pasaba) por la aduana y

_____ (salí/salía) por la puerta al aire libre, donde los autobuses ADO

_____ (fueron/estuvieron/eran/estaban) estacionados. Jamás _____

(olvidé/olvidaré) la ola de humedad y calor que me _____ (azotó/azotaba)

cuando _____ (pasé/pasaba) del aire acondicionado. _____

(Empecé/Empezaba) a sudar de inmediato, pero me _____ (dio/daba) igual porque el

aire _____ (olió/olía) a aventura.

_____ (Fue/Era) martes y yo no _____ (tuve/tenía) ningún horario que cumplir con la excepción de llegar a Chetumal, la capital del estado de Quintana Roo, antes del anochecer el viernes que _____ (viene/venía). Con todo el tiempo del mundo, _____ (averigüé/averiguaba) los horarios de autobús y _____ (resultó/resulta) que _____ (hubo/había) un recorrido saliendo en una hora para el centro, así que _____ (hubo/había) bastante tiempo para comprarme un boleto de ida y disfrutar de una chela bien fría mientras _____ (esperé/esperaba). Las vacaciones que tanto _____ (anhelé/anhelaba) _____ (han/habían) comenzado.

   Cuando _____ (llegó/llegaba) la hora de partida, _____ (he/había) acabado ya con mi chela y _____ (fui/estuve/era/estaba) listo. Le _____ (mostré/mostraba) mi boleto al conductor, me _____ (subí/subía) al bus, me _____ (senté/sentaba) en mi asiento de pasillo y con mi mochila en mi regazo, _____ (tomé/tomaba) una pastilla contra el mareo, o sea las náuseas, y me _____ (relajé/relajaba) sabiendo que pronto _____ (seré/estaré/sería/estaría) explorando la ciudad de Cancún a pie. Aunque _____ (he/había) explorado muchas partes de México, no _____ (conocí/conocía) la Península de Yucatán. Y aunque ya _____ (he/había) conocido a muchos personajes curiosos durante mis viajes por México, no _____ (podía/podría) haber sabido que _____ (fui/estuve/era/estaba) a punto de conocer al personaje más curioso de todos.

La aventura continuará...

Para cada sustantivo, escribe al menos un verbo de acción asociado con él.

1. un palo: _____

2. una navaja: _____

3. un violín: _____

4. una siesta: _____

5. un espejo: _____

6. un resfriado: _____

7. una regla: _____

8. una maleta: _____

9. unos auriculares: _____

10. una estrella: _____

11. una ventana: _____

12. una culebra: _____

13. un cubículo: _____

14. una tela: _____

15. un balde: _____

16. una bomba: _____

17. un hotel: _____

18. un periódico: _____

19. una semilla: _____

20. una llave: _____

21. una raqueta: _____

22. un vestido: _____

23. una silla: _____

24. una papa: _____

25. un deporte: _____

26. un tiempo: _____

27. un lunes: _____

28. unas escaleras: _____

29. una orden: _____

30. un traste: _____

31. un árbol: _____

32. un dios: _____

33. un dedo: _____

34. una victoria: _____

35. un funeral: _____

36. una granja: _____

37. un champú: _____

38. un malentendido: _____

39. una resaca: _____

40. una estampilla: _____

Actividad #229

Completa la tabla con las formas indicadas del verbo *salir*.

el presente del indicativo

_____ _____

_____ _____

_____ _____

el imperfecto del indicativo

_____ _____

_____ _____

_____ _____

el pretérito del indicativo

_____ _____

_____ _____

_____ _____

el futuro simple del indicativo

_____ _____

_____ _____

_____ _____

el condicional del indicativo

_____ _____

_____ _____

_____ _____

el presente del subjuntivo

_____ _____

_____ _____

_____ _____

el imperfecto del subjuntivo (ra)

_____ _____

_____ _____

_____ _____

el imperfecto del subjuntivo (se)

_____ _____

_____ _____

_____ _____

el imperativo

_____

_____

_____

el gerundio   el participio pasado

_____   _____

Todas las oraciones siguientes contienen por lo menos un error, sea ortográfico, léxico o gramatical. Reescribe las oraciones corrigiendo todos los errores que identifiques. ¡Ojo! Cambiar alguna cosa de una palabra puede obligarte a cambiar otra cosa de otra palabra para que concuerden.

1. Présteme tu calculadora, que se me he olvidado la mía.

_____

2. Por la ultimá ves: no te voy a darlo.

_____

3. Gracias para tu tiempo; Ud. ha sido muy amable.

_____

4. Le di a mis padres unos regalitos por sus aniversario de boda el año pasado.

_____

5. Me parece mentira que va nievar en septembre.

_____

6. ¿Te apatece ir a ese restarante españole?

_____

7. Este actividade es dificíl; priefero hacer un projecto.

_____

8. Ella me pidió prestado mi linterna y le la presté.

_____

9. Yo me gustaba saltar la ropa cuando era joven.

_____

10. Ya llevo vientiseis años viviendo en este apartamiento.

_____

Para cada oración, llena el hueco con un vocablo lógico. Puede que haya múltiples posibilidades.

1. Los _____ estudian los fenómenos atmosféricos, cambios climáticos, etc.

2. Los muchachos no tienen mucha _____. Por eso se llama la edad del pavo.

3. La mayoría de los _____ en las calles padecen un tipo de trastorno mental.

4. El pueblo fue devastado por el _____. No sé sabe cómo van a sobrevivir.

5. Para acceder al contenido, tienes que crear un nombre de _____ y contraseña.

6. Los _____ médicos han erradicado, prevenido y curado tantas enfermedades.

7. El _____ animal solo abarca un 5% de todos los seres vivos.

8. La manera más rápida y segura para acabar con una _____ es congelarla.

9. El dinero solo no puede resolver la _____. Tiene que haber cambios políticos.

10. Mi lavadora se ha estropeado y por eso tengo que ir a la _____.

11. El *David* de Miguel Ángel es una de las _____ históricas más importantes.

12. Será caro, pero busco comprar mostradores de _____ para la cocina nueva.

13. Según un _____ de 2018, un 4% de todos los mamíferos vivos son salvajes.

14. Hay que _____ la vida porque no sabemos cuándo será nuestro último día.

15. Cuando mi mamá prepara un pastel, mi parte favorita es _____ la cuchara.

16. Mi cachorro ya sabe que vamos a dar una vuelta cuando agarro su _____.

17. ¿A qué _____ crees que los jóvenes deben poder conducir?

18. La _____ de vuelo me trajo una almohada extra para que durmiera mejor.

19. El ladrón no pudo haber actuado solo. Seguramente tuvo un _____.

20. No puedo creer cuántos mensajes sin leer tengo en mi _____ de entrada.

Los adjetivos descriptivos van pospuestos al sustantivo al que describen para dar contraste. En cambio, suelen ir antepuestos al sustantivo para quitar el contraste y mostrar una característica inherente del dicho sustantivo. Para cada sustantivo a continuación, escribe una oración original con adjetivo pospuesto y otra oración con el mismo adjetivo antepuesto.

1. **lana**: _____

_____

2. **sobrepeso**: _____

_____

3. **ornitorrincos**: _____

_____

4. **sal**: _____

_____

5. **agua**: _____

_____

6. **antibióticos**: _____

_____

7. **estrellas**: _____

_____

8. **electricidad**: _____

_____

9. **dictaduras**: _____

_____

10. **realidad**: _____

_____

Actividad #233

Hagamos poesía. Termina cada estrofa con un verso acorde con la rima indicada. Ni tú ni yo somos Pablo Neruda así que no te preocupes de escribir algo profundo. Nomás diviértete.

1. Dime que tienes en tu mochila (A)
   Libros y un cuaderno (B)
   Si me dices que tienes una anguila (A)

   _____ (B)

2. Problemita, problema, problemón (A)
   El niño come dulces de un tazón (A)
   Las muelas ya le duelen y con razón (A)

   _____ (A)

3. Masa, mazo, caza, caso (A)
   Practiquemos sin retraso (A)
   Llana, hiena, llama, yema (B)

   _____ (B)

   Vano, bono, albahaca (C)
   "B" de "burro", "v" "de vaca" (C)
   Cesas, sesos, cosas, quesos (D)

   _____ (D)

4. Tengo que apurarme, que hay mucho que hacer (A)
   Con tantas cosas pendientes, no hay tiempo de yacer (A)
   Tengo que limpiar la casa de cabo a rabo (B)
   Y luego ir al almacén a comprar un nuevo lavabo (B)
   Si tú tienes tiempo hoy de venir a ayudarme (C)

   _____ (C)

5. Pozole en México (A)
   Paella en España (B)
   Empanadas en Argentina (C)
   En Cuba refresco (A)
   Con azúcar de caña (B)

   _____ (C)

Reescribe las oraciones siguientes cambiando la voz activa por la voz pasiva: una vez usando "ser" y otra vez usando el "se pasivo".

1. La orquesta toca música en el auditorio.

(ser) _____

(se) _____

2. El secretario ha cambiado las horas de oficina para este semestre.

(ser) _____

(se) _____

3. Los niños rompieron su juguete favorito.

(ser) _____

(se) _____

4. El carpintero lija los maderos como primera etapa del proyecto.

(ser) _____

(se) _____

5. Los estudiantes hacen su tarea en la cafetería antes del primer período.

(ser) _____

(se) _____

6. La profesora escribió los libros que usamos para la clase.

(ser) _____

(se) _____

Actividad #235

Primera reacción. ¿Qué exclamarías ante las cosas o situaciones siguientes? Para cada oración, llena el hueco con un vocablo lógico (adjetivo o sustantivo). Puede que haya múltiples posibilidades.

1. ¿Te robaron el coche? ¡Qué _____!

2. ¿No pudiste comprar entradas para el concierto? ¡Qué _____!

3. El producto tenía unos cuantos defectos cuando me llegó. ¡Qué _____!

4. ¿Ariel te prestó su coche? ¡Qué _____ es!

5. ¿Les pediste a tus hijas que lavaran el baño y no lo hicieron? ¡Qué _____ son!

6. Es demasiado difícil levantar y mover el piano sin equipo. ¡Qué _____ es!

7. ¿Mis hijos van a poder recogerme del aeropuerto? ¡Qué _____ soy!

8. ¿Ganaste la medalla de oro? ¡Qué _____ eres, Silvia!

9. ¿Despidieron al mejor empleado que tenían? ¡Qué _____ son!

10. ¿La inundación arruinó toda mi colección de cómics? ¡Qué _____!

11. Mataron al mejor personaje de toda la serie. ¡Qué _____!

12. El rey decretó que aun los pobres tenían que pagar impuestos. ¡Qué _____!

13. Las noticias solo reportan tragedia y miseria. ¡Qué _____ son!

14. ¿Tu hija corrió 1600 metros en menos de cinco minutos? ¡Qué _____ es!

15. ¿Has lavado mi ropa? ¡Qué _____ eres, papá!

16. ¿Ganaste el torneo de ajedrez? ¡Qué _____ eres, Martín!

17. ¿Luisa y Lourdes llegaron hasta la cima de la montaña? ¡Qué _____ son!

18. Mira, alguien chocó con mi carro y ni siquiera dejó una notita. ¡Qué _____!

19. ¿Viste la tormenta eléctrica anoche? ¡Qué _____!

20. ¿El sofá que deseamos está en liquidación? ¡Qué _____!

Actividad #236

Lee el diálogo siguiente y contesta las preguntas a continuación.

Martes, 13 de julio del verano pasado

Pablo – Buenas tardes, Yoli. ¿Qué estás haciendo aquí en la biblioteca?

Yolanda – Hola, Pablo. Estoy aquí porque tengo una entrevista hoy a las 2:00 para un puesto de asistente al bibliotecario.

Pablo – ¡Qué bien! ¿Es de tiempo completo o parcial?

Yolanda – Sería de tiempo completo hasta el fin del verano, pero solo de quince horas a la semana una vez que comience el semestre que viene.

Pablo – ¿Cómo que lo "sería"? Lo "será", ¿verdad?

Yolanda – Bueno, es que no creo que me den el puesto ya que no tengo ninguna experiencia laboral.

Pablo – ¡No te preocupes! Cuando te pregunten sobre tu experiencia laboral, no les digas que no la tienes, sino muéstrales que tú conoces esta biblioteca mejor que cualquier otro estudiante. Seguro que verán tu pasión y lo fantástica que eres. ¡Les encantarás!

Yolanda – Gracias, Pablo. Eres muy gentil.

Pablo – Por nada, Yoli. Bueno, parece que ya vienen por ti.

Yolanda – ¡Deséame suerte, y mucha ya que es martes 13!

Pablo – Sé tú misma y no necesitarás ninguna suerte, a pesar de la fecha.

Más tarde, cuando la entrevista de Yolanda se acaba, Pablo sigue en la biblioteca...

Pablo – Oye, Yoli. ¿Cómo te ha ido la entrevista?

Yolanda – Ah, Pablo, sigues aquí y qué bueno porque tengo que decirte que me ha ido de maravilla. El consejo que me diste antes me ha servido mucho.

Pablo – ¿Ya ves? No necesitabas ninguna suerte.

Yolanda – Sí, solo necesitaba buen consejo. Oye, ¿quieres cenar conmigo esta noche para celebrar mi primera entrevista exitosa? Yo te invito ya que estaré ganando un dineral muy pronto gracias a ti. Ja, ja, ja.

Pablo – Acepto, pero yo le doy propina.

Su historia continuará...

Contesta las preguntas siguientes, parafraseando el diálogo entre Pablo y Yolanda el martes, 13 de julio del verano pasado. Toma en cuenta el tiempo verbal, la persona y cualquier otra palabra que indique tiempo (anoche, mañana) o espacio (aquí, ese).

1. ¿Qué le dijo Yolanda cuando Pablo le preguntó qué estaba haciendo en la biblioteca?

_____

_____

2. ¿Qué le dijo Yolanda sobre las horas del puesto de asistente al bibliotecario?

_____

_____

3. ¿Cómo respondió Yolanda cuando Pablo le preguntó sobre su uso del condicional: "sería"?

_____

4. ¿Qué le dijo Pablo cuando Yolanda expresó sus dudas sobre su falta de experiencia?

_____

_____

_____

5. ¿Cómo respondió Pablo cuando Yolanda le pidió que le deseara suerte?

_____

6. ¿Qué le dijo Yolanda cuando Pablo le preguntó sobre la entrevista?

_____

_____

7. ¿Qué quería saber Yolanda en cuanto a celebrar? ¿Y luego qué le dijo a Pablo?

_____

_____

8. ¿Cómo respondió Pablo ante la oferta?

_____

Completa la tabla con las formas relacionadas que faltan. Puede que haya múltiples posibilidades.

	sustantivo	adjetivo	verbo
1.	_____	_____	temer
2.	la sonrisa	_____	_____
3.	_____	_____	poder
4.	la influencia	_____	_____
5.	_____	vacío	_____
6.	_____	frecuente	_____
7.	_____	_____	enojar
8.	_____	obediente	_____
9.	la travesura	_____	_____
10.	_____	_____	ampliar
11.	el incendio	_____	_____
12.	_____	siguiente	_____
13.	_____	_____	aburrir
14.	el aprieto	_____	_____
15.	_____	bello	_____
16.	la tontería	_____	_____
17.	el coqueteo	_____	_____
18.	_____	real	_____
19.	_____	_____	sintetizar
20.	la razón	_____	_____

Actividad #238

Para cada oración, escoge o *ser*, *estar* o *haber* según el contexto y escribe tu respuesta en el hueco

1. El té _____ caliente y por eso no lo bebo. Prefiero bebidas frías. (es / está / hay)

2. Este té _____ demasiado caliente. Tengo que esperar un ratito. (es / está / hay)

3. Tomaré cualquier té que _____ esta noche; me da igual. (sea / esté / haya)

4. _____ muchos estudiantes listos en la clase de los martes. (Son / Están / Hay)

5. Muchos estudiantes _____ listos para la clase este martes. (son / están / hay)

6. Muchos estudiantes inscritos en la clase de los martes _____ listos. (son / están / hay)

7. _____ muchos los colchones en liquidación. (Son / Están / Hay)

8. _____ muchos colchones en liquidación. (Son / Están / Hay)

9. Muchos colchones _____ en liquidación. (son / están / hay)

10. Ella parece _____ feliz con su café y libro en mano. (ser / estar / haber)

11. Ella parece _____ feliz con una familia linda y buena salud. (eran / estaban / había)

12. Ellos _____ estudiantes cuando los conocí en los noventa. (eran / estaban / había)

13. Ellos _____ en la uni cuando los conocí en los noventa. (eran / estaban / había)

14. _____ varios estudiantes que conocí en la uni en los noventa. (Eran / Estaban / Había)

15. El día del motín en el capitolio _____ una locura. (fue / estuvo / hubo)

16. _____ una locura en el capitolio el día del motín. (Fue / Estuvo / Hubo)

17. Muchos locos _____ en el capitolio el día del motín. (fueron / estuvieron / hubo)

18. El porvenir _____ bueno en el futuro. (será / estará / habrá)

19. _____ un porvenir mejor en el futuro. (Será / Estará / Habrá)

20. El porvenir _____ bien en el futuro. (será / estará / habrá)

Actividad #239

Para cada oración, escribe la mejor respuesta en el espacio en blanco.

1. Todos son saludos comunes menos _____.

      a. ¿Qué pasó?   b. ¿Qué hay?   c. ¿Qué panza?   d. ¿Qué tal?

2. Todos son de jerga común para decir "niños" excepto _____.

      a. los peques   b. los chamacos   c. los cachorros   d. los pibes

3. Todos estos términos son gramaticalmente correctos salvo _____.

      a. vestido lavanda   b. vestido amarilla   c. vestido rosa   d. vestido púrpura

4. Las formas singular y plural de todas estas palabras son iguales menos _____.

      a. gratis   b. gris   c. paraguas   d. clímax

5. Todas pueden ser causadas por bacterias salvo _____.

      a. una fiebre   b. la diarrea   c. una úlcera   d. una verruga

6. Hay vacunas contra todas estas enfermedades excepto _____.

      a. el resfrío   b. la varicela   c. la polio   d. el tétano

7. El cuchillo, la cuchara y el tenedor son todos menos _____.

      a. utensilios   b. trastes   c. cubiertos   d. paletas

8. Puedes conservar la carne de todas estas formas salvo _____.

      a. enlatarla   b. ahumarla   c. mancharla   d. salarla

9. Puedes tirar todos menos _____.

      a. balas   b. bisontes   c. basura   d. bolas

10. Todos son partes de un árbol excepto _____.

      a. las raíces   b. el tronco   c. el barco   d. las ramas

Actividad #240

Según el contexto, llena cada espacio en blanco con la conjugación correcta en **el futuro** o **el condicional** del verbo entre paréntesis.

1. Edson lo _____ conmigo mañana. (hacer)

2. Yo sabía que Eva no _____ ni siquiera cómo empezar. (saber)

3. Me dijeron que me _____ una respuesta el lunes siguiente. (dar)

4. María _____ en dos semanas, así que aún nos queda tiempo. (salir)

5. ¿_____ nosotros cinco si vamos en el carro tuyo? (caber)

6. Sabía que nosotros _____ más espacio si íbamos en su coche. (tener)

7. Yo sospechaba que la presentación nos _____ mejor con un proyector. (ir)

8. ¿Me _____ ayudar tú el próximo sábado si mi papá no viene? (poder)

9. Él _____ la reunión porque no es posible que esté listo a tiempo. (posponer)

10. Mi doctora me aseguró que yo _____ con antibióticos. (mejorarse)

11. Era evidente que _____ la transmisión si llevábamos mascarillas. (prevenir)

12. Tomemos el bus porque _____ muchas personas y poco *parking*. (haber)

13. Yo no te _____ frente a los clientes, a no ser que te equivoques. (contradecir)

14. En cuanto yo regrese a casa, _____ de todas mis cosas inútiles. (deshacerse)

15. Cuando abra la tienda nueva, _____ en el mero centro de la ciudad. (quedar)

16. Sospeché que la aerolínea _____ prueba de vacunación por años. (requerir)

17. Yo sabía que ella _____ todos sus derechos de autora. (retener)

18. Cuando lleguemos a nuestro destino, _____ por la aduana. (pasar)

19. Creo que yo _____ dos libros más para esta serie. (escribir)

20. Si descargas por accidente un virus, _____ todos tus datos. (corromper)

Actividad #241

Indica si crees que los consejos siguientes son buenos o malos. Para los malos, cambia el "no" por "sí" y viceversa para hacerlos buenos y, claro, para practicar la construcción de los mandatos.

	buen consejo	mal consejo
1. Malgasten todo su dinero en cosas frívolas.	_____	_____
2. Recojan y laven sus platos justo después de cenar.	_____	_____
3. Perdonad a los que os hayan perjudicado.	_____	_____
4. No salgas pasado el toque de queda.	_____	_____
5. No te dediques a ninguna profesión.	_____	_____
6. Compra un anillo de plata y diles a todos que es de platino.	_____	_____
7. Duchaos después de hacer deporte.	_____	_____
8. Acaricia a los coyotes salvajes de la pradera.	_____	_____
9. Llama a tu abuelita más a menudo, que la vida es corta.	_____	_____
10. Maltrata a la gente que te ha maltratado a ti, que lo merecen.	_____	_____
11. Escuchad más música en español.	_____	_____
12. No apoyes a los artistas locales, que deben buscar un trabajo.	_____	_____
13. Vagamundea por unos meses alguna vez en tu vida.	_____	_____
14. Enséñeles a los demás si tiene algún talento que impartir.	_____	_____
15. No protejas al medioambiente, que moriremos de todos modos.	_____	_____
16. Sea modesta, que siempre hay algo más para aprender.	_____	_____
17. No apoyen a los más necesitados, que la vida es corta.	_____	_____
18. Fúmalos si es que los tienes.	_____	_____
19. Busca un chivo expiatorio cuando cometas un error.	_____	_____
20. Mochilea por un continente sin rumbo fijo al graduarte.	_____	_____
21. Rechaza el comportamiento narcisista, que tú mereces la paz.	_____	_____
22. No sean codiciosos, que hay bastante para todos.	_____	_____
23. Baila como si todo el mundo te estuviera viendo y juzgando.	_____	_____
24. Desafías a los elefantes en las vegas.	_____	_____
25. Juzga a los demás por quienes son.	_____	_____
26. Haz lo que tú quieras, aunque perjudiques a los demás.	_____	_____
27. No vayas a la uni a menos que tengas un propósito claro.	_____	_____

Actividad #242

Pon las palabras del banco en sus categorías respectivas. Para las palabras que desconozcas, sigue tus primeros instintos. Una vez que tengas las seis categorías llenas, investiga tus dudas.

afecciones médicas	partes del automóvil	muebles

sarampión, onza, armario, tonelada, ponche, pie, atole, volante, gramo, navío, sidra, eje, cajuela, bote, literas, retrovisor, libra, cómoda, mate, metro, barco, amigdalitis, banco, zumo, submarino, chicha, taburete, foco, balsa, ropero, portaaviones, otomana, velero, yate, capó, brebaje, retinopatía, salpicadero, buque, otitis, lecho, ron, asma, pulgada, tosferina, yarda, neumonía, mesilla, milla, embrague, litro, guantera, ginebra, mecedora, viruela, aguardiente, obesidad, llanta, gripa, canoa

embarcaciones	bebidas	medidas y unidades

Actividad #243

Para formar cada oración, cambia el orden de palabras y puntuación para que tenga sentido.

1. en los antiguas día hoy era religión para mitos civilizaciones .

_____

2. ¿ hacía tenías cuánto calambres pantorrilla tiempo que de ?

_____

3. un consiste organismo la binomial el especie en género y la de nomenclatura .

_____

4. soltó cuenta cuando el detuvo al , sospechoso equivocado, pero se lo dio de que se policía había .

_____

_____

5. las dedica un sano naciones e planeta unidas se igualdad a la paz , dignidad en .

_____

6. vieres que fueres allá donde , haz lo .

_____

7. asesina sea la ballena más ballena , orca o la, es delfín que .

_____

8. efectivo algunos pagar lugares débito seguro con en es más que usar la dinero tarjeta de en .

_____

_____

9. mesa tienen he cuatro solo pedido una para , pero una cinco mesa para .

_____

10. las nuestra mano ropa compramos segunda toda de tiendas de .

_____

Actividad #244

Para cada verbo conjugado, escribe el sujeto, el tiempo verbal, el modo y su infinitivo. Luego escribe una oración original utilizando el verbo conjugado en contexto.

1. **pararemos**   sujeto _____   tiempo verbal _____

   infinitivo _____   modo _____

_____

2. **suponía**   sujeto _____   tiempo verbal _____

   infinitivo _____   modo _____

_____

3. **saben**   sujeto _____   tiempo verbal _____

   infinitivo _____   modo _____

_____

4. **se mancharían**   sujeto _____   tiempo verbal _____

   infinitivo _____   modo _____

_____

5. **obstaculicé**   sujeto _____   tiempo verbal _____

   infinitivo _____   modo _____

_____

6. **paraliza**   sujeto _____   tiempo verbal _____

   infinitivo _____   modo _____

_____

7. **tintineó**   sujeto _____   tiempo verbal _____

   infinitivo _____   modo _____

_____

Actividad #245

Llena el espacio en blanco con la conjugación más apropiada de las opciones entre paréntesis.

Delgado – Parte II

Al llegar al centro de Cancún, me _____ (bajé/bajaba) del bus que me

_____ (ha/había) llevado desde el aeropuerto y, con mochila en mano,

_____ (pregunté/preguntaba) en la estación de autobuses por un buen hostal

donde _____ (pude/podía/pudiera) pasar la noche. Sin saber si

_____ (quería/querría) pasar una noche en Cancún y dos noches en Playa del

Carmen o al revés, no _____ (he/había) reservado ninguna habitación. Como de

costumbre mía, _____ (he/había) decidido esperar hasta que _____

(llegué/llegaba/llegara) a que alguien local me _____ (dirigió/dirigía/dirigiera)

a un buen sitio. Sin problema, varios me _____ (ofrecieron/ofrecían/ofrecieran)

unas cuantas opciones y me _____ (dirigí/dirigía) a pie en dirección al que más me

_____ (interesó/interesaba), el que me _____ (ofrecía/ofrecería)

más tranquilidad. _____ (Caminé/Caminaba) unos kilómetros cargando mi

mochila, explorando la ciudad y prestando mucha atención a cada calle que seguí y cada esquina

donde doblé y, como el dicho en español, "preguntando se llega a Roma", así _____

(llegué/llegaba) al hostal donde _____ (fui/iba/fuera) a pasar al menos una noche.

Después de unos treinta minutos de andar explorando, por fin _____

(llegué/llegaba) a mi hostal y me _____ (registré/registraba) sin dificultad. Me

_____ (asignaron/asignaban) una cama y un baúl donde _____

(pude/pudiera/podría) asegurar con candado mis pertenencias valiosas. Como no _____

(llevé/llevaba/llevaría) conmigo nada de valor, no me _____ (hizo/hacía/haría)

falta el baúl. Así que simplemente me _____ (deshice/deshacía) de mi mochila y me _____ (eché/echaba) a la calle a agarrar la onda y es cuando lo vi por

primera vez. _____ (estuvo/estaba) sentado encima de un medio muro que

_____ (quedó/quedaba) por la banqueta delante de mi hostal. No me

_____ (pareció/parecía) estar ocupado y _____

(tuvo/tenía) pinta de mexicano y _____ (pensé/pensaba) que a lo mejor

_____ (fue/estuvo/era/estaba) local y quizá _____

(pudo/podría) dirigirme a un buen sitio donde _____ (pude/podría/pudiera)

comer algo y quizá conocer gente. Así que me _____ (acerqué/acercaba) a él,

me _____ (disculpé/disculpaba) y le _____

(pregunté/preguntaba) si _____ (conoció/conocía) un lugar animado. Me

_____ (respondió/respondía) que no _____

(fue/estuvo/era/estaba) de Cancún, que _____ (fue/estuvo/era/estaba)

"chilango", lo cual _____ (significó/significaba) que _____

(fue/estuvo/era/estaba) de la Ciudad de México. Me _____ (dijo/decía) que apenas

_____ (llegó/había llegado) y me preguntó si yo _____

(supe/sabía/conocí/conocía) en dónde _____ (quedó/quedaba) su hostal que, según

decían, _____ (debía/debería) estar ubicado justo enfrente del mío. Me

_____ (disculpé/disculpaba) diciendo que yo mismo _____

(acabo/acababa) de llegar y que no _____ (supe/sabía/conocí/conocía) el área.

"Delgado, a tus órdenes", me _____ (dijo/decía) a medida que me _____

(extendió/extendía) la mano. "David, a las tuyas". "Exploremos juntos", me _____

(sugirió/sugería). "Órale, pues", le _____ (respondí/respondía)…

La aventura continuará…

264

Actividad #246

Para cada sustantivo, escribe al menos un verbo de acción asociado con él.

1. un mito: _____

2. una serpiente: _____

3. los labios: _____

4. un té caliente: _____

5. una sonda: _____

6. una vasectomía: _____

7. un cuadro: _____

8. una pala: _____

9. un servicio: _____

10. unas pantuflas: _____

11. un diamante: _____

12. un cadáver: _____

13. una costura: _____

14. una carta: _____

15. un gancho: _____

16. un pasaporte: _____

17. una biblioteca: _____

18. una escoba: _____

19. una cinta adhesiva: _____

20. un jalapeño: _____

21. una luz: _____

22. una página: _____

23. una funda: _____

24. un cómplice: _____

25. un premio: _____

26. una clavija: _____

27. una parrilla: _____

28. un huevo: _____

29. un embajador: _____

30. una cuerda: _____

31. una manguera: _____

32. un recado: _____

33. una toalla: _____

34. los dientes: _____

35. un flexómetro: _____

36. una botana: _____

37. un pasatiempo: _____

38. la nariz: _____

39. una impresora: _____

40. un aderezo: _____

Actividad #247

Completa la tabla con las formas indicadas del verbo **venir**.

el presente del indicativo   **el presente del subjuntivo**

_____   _____ | _____   _____

_____   _____ | _____   _____

_____   _____ | _____   _____

el imperfecto del indicativo   **el imperfecto del subjuntivo (ra)**

_____   _____ | _____   _____

_____   _____ | _____   _____

_____   _____ | _____   _____

el pretérito del indicativo   **el imperfecto del subjuntivo (se)**

_____   _____ | _____   _____

_____   _____ | _____   _____

_____   _____ | _____   _____

el futuro simple del indicativo   **el imperativo**

_____   _____ | _____

_____   _____ | _____

_____   _____ | _____

el condicional del indicativo   **el gerundio**   **el participio pasado**

_____   _____ | _____   _____

_____   _____ |

_____   _____ |

Todas las oraciones siguientes contienen por lo menos un error, sea ortográfico, léxico o gramatical. Reescribe las oraciones corrigiendo todos los errores que identifiques. ¡Ojo! Cambiar alguna cosa de una palabra puede obligarte a cambiar otra cosa de otra palabra para que concuerden.

1. Aléjase de mí, que no quiero verse mas.

_____

2. Contesté el teléfono peor cuando se identifiqué quien era, me colgó.

_____

3. Los examenes de la clase de calculo son muy difícil.

_____

4. Tengo que preparar para la clase que tengo este tarde.

_____

5. El fin de semana pasada, fui a la cine con mi novio's amigo.

_____

6. La órquestra va a tocar esta noche, pero no sé cuándo.

_____

7. Ella es ingeniería eléctrica y trabaja por una compañía de computadoras.

_____

8. Hay diecicinco alumnos en la clase más advanzada.

_____

9. Yo respecto las desiciones de mi papá, pero yo también tengo mis propias ideas.

_____

10. La zapateria queda circa de la estación de policia.

_____

Los adjetivos descriptivos van pospuestos al sustantivo al que describen para dar contraste. En cambio, suelen ir antepuestos al sustantivo para quitar el contraste y mostrar una característica inherente del dicho sustantivo. Para cada sustantivo a continuación, escribe una oración original con adjetivo pospuesto y otra oración con el mismo adjetivo antepuesto.

1. **festivales**: _____

_____

2. **guisos**: _____

_____

3. **poesía**: _____

_____

4. **problemas de primer mundo**: _____

_____

5. **médicos**: _____

_____

6. **hoteles**: _____

_____

7. **alquileres**: _____

_____

8. **sitios arqueológicos**: _____

_____

9. **uvas**: _____

_____

10. **fuegos artificiales**: _____

_____

Actividad #250

Reescribe las oraciones siguientes cambiando la voz activa por la voz pasiva: una vez usando "ser" y otra vez usando el "se pasivo".

1. Los huéspedes ensucian las toallas cada vez más.

(ser) _____

(se) _____

2. El ayuntamiento tiene que aprobar todos los proyectos nuevos.

(ser) _____

(se) _____

3. Las compañías fabrican la mayoría de sus productos en la China.

(ser) _____

(se) _____

4. La editora redactó el artículo tras el incidente en el supermercado.

(ser) _____

(se) _____

5. La censura censuró la película nueva por cuestiones de indecencia.

(ser) _____

(se) _____

6. Podemos celebrar el Día Internacional de los Pueblos Indígenas en cualquier país.

(ser) _____

(se) _____

Actividad #251

Lee el diálogo siguiente y contesta las preguntas a continuación.

Martes, 13 de julio del verano pasado

Rafael – Hola, tío. ¿Qué tal?

Jaime – Bien, bien. ¿Y tú, Rafa?

Rafael – Muy bien, gracias, y gracias por quedar conmigo. Es que quería preguntarte algo importante y quería hacerlo en persona.

Jaime – ¿Qué pasó?

Rafael – No, nada, es que sabes que volveré a España el domingo que viene a visitar a mi familia antes de que comience mi último año aquí y, ¿qué te parece que me acompañes?

Jaime – ¿De veras? Pues, me encantaría, pero…

Rafael – Pero ¿qué? ¿Tienes alguna duda?

Jaime – Es que no tengo feria para viajar. Costará un huevo, ¿no?, especialmente con tan solo cinco días de antelación.

Rafael – La verdad es que mis padres ya han comprado un billete para ti y dicen que, a menos que no quieras ir, no aceptarán que rehúses su regalo.

Jaime – ¡No me digas! ¿Me estás tomando el pelo?

Rafael – Es en serio. Y no te estoy tomando el pelo, ni tampoco hay gato encerrado. Ja, ja, ja.

Jaime – Pues, parece que no queda más remedio que aceptar su regalo. Sí, iré contigo.

Jaime le da un abrazote.

Rafael – ¡Qué guay! Mis papás estarán contentos de conocerte.

Jaime – Pues, yo también estaré contento de conocerlos. Pues, ¿por qué no salimos esta noche a cenar para celebrar? Yo te invito.

Rafael – Acepto, pero yo le daré propina.

Su historia continuará…

Contesta las preguntas siguientes, parafraseando el diálogo entre Jaime y Rafael el martes, 13 de julio del verano pasado. Toma en cuenta el tiempo verbal, la persona y cualquier otra palabra que indique tiempo (anoche, mañana) o espacio (aquí, ese).

1. ¿Por qué Rafael le agradeció a Jaime que quedara con él? ¿Qué razón le dijo?

_____

2. ¿Qué le dijo Rafael cuando Jaime le preguntó qué había pasado?

_____

_____

3. ¿Qué le dijo Jaime cuando Rafa le preguntó acerca de sus dudas?

_____

_____

4. ¿Cómo respondió Rafael ante esa duda sobre el dinero?

_____

_____

5. ¿Qué le preguntó Jaime cuando Rafael le mencionó el regalo de sus padres?

_____

6. ¿Y cómo le contestó Rafael?

_____

7. ¿Qué le dijo Jaime cuando Rafael le aseguró que no estaba bromeando?

_____

8. ¿Cómo respondió Jaime cuando Rafael le dijo que sus papás estarían contentos de conocerlo?

_____

_____

9. ¿Qué le dijo Rafael ante la invitación de Jaime?

_____

Actividad #252

Tú o vos. Completa la tabla con la forma de segunda persona singular que falte. ¡Ojo! Solo se diferencian el uno del otro en el **presente del indicativo** y las **formas afirmativas del imperativo**.

	tú	**vos**
1.	ven	_____
2.	_____	salí
3.	eres	_____
4.	dime	_____
5.	ibas	_____
6.	_____	fijate
7.	_____	sepas
8.	mándalas	_____
9.	_____	ponela
10.	comas	_____
11.	envías	_____
12.	has	_____
13.	sé	_____
14.	dame	_____
15.	_____	andate
16.	_____	tratás
17.	explícaselo	_____
18.	serviste	_____
19.	_____	movete
20.	_____	pensá

Actividad #253

Completa estos dichos con las palabras que faltan.

1. Manos a la _____, que no tenemos todo el día.

2. Vamos a poner las _____ sobre la mesa.

3. No quiero ir a su fiesta, que toda su familia me da mala _____.

4. Antes muerta que _____.

5. Es una espada de doble _____.

6. Del dicho al hecho hay un buen _____.

7. Perdí el contrato y, para poner el dedo en la _____, me jefe me corrió.

8. Vamos a dar la _____ a la tortilla.

9. Siempre toma malas decisiones y nuestro jefe se hace de la vista _____.

10. Anda por aquí haciendo lo que le pegue la gana como Pedro por su _____.

11. A lo _____ de mis años trabajando aquí, he aprendido un montón.

12. No le hagas caso; es un _____ nadie.

13. Vamos a tomar la carretera y en un dos por _____ estaremos allí.

14. Me tengo que _____ la lengua porque no quiero bronca con ellos.

15. ¿Ella cree que pueda hacer esas cosas a mis _____ sin que me entere?

16. Pasé dos años intentando arreglarlo y nada, así que tuve que cortar por lo _____.

17. Esas amigas son inseparables, como uña y _____.

18. Para esta fiesta, vamos a _____ la casa por la ventana.

19. Te juro que ese güey es tan obstinado que solo hará _____ si insistes.

20. ¡Uff, qué pesado! ¿Oye, me _____ una mano con esto?

Actividad #254

Para cada oración, escribe la mejor respuesta en el espacio en blanco.

1. Todas estas telas pueden ser de algodón excepto _____.

    a. la mezclilla   b. la franela   c. el nailon   d. la lona

2. Los campeones tienen que haber hecho todos menos _____.

    a. ganar   b. empatar   c. vencer   d. triunfar

3. Así se llaman estos animales –macho/hembra, respectivamente– salvo _____.

    a. cerdo/cerda   b. burro/burra   c. pavo/pava   d. caballo/caballa

4. Todos son formas de ocultar o evitar alguna realidad menos _____.

    a. atropellar   b. engañar   c. mentir   d. fingir

5. Todos son recuerdos turísticos típicos menos _____.

    a. los llaveros   b. los silbatos   c. los imanes   d. las cachuchas

6. Todos estos animales son moluscos salvo _____.

    a. los caracoles   b. los calamares   c. las babosas   d. los caimanes

7. Todas hacen referencia al agua menos _____.

    a. la siembra   b. la deriva   c. la corriente   d. la marea

8. Todos estos son sinónimos los unos de los otros excepto _____.

    a. el hoyo   b. el fondo   c. el hueco   d. el agujero

9. Todos son polígonos salvo _____.

    a. el hexágono   b. el epígono   c. el pentágono   d. el heptágono

10. Todos pueden ser rizados menos _____.

    a. la col   b. el cabello   c. la cola   d. el caballo

Para cada mandato, identifica el sujeto e indica si el mandato es afirmativo, negativo o los dos.

1. nadad   tú _____ vosotros _____ Ud. _____ Uds. _____ afirm. _____ neg. _____

2. lean   tú _____ vosotros _____ Ud. _____ Uds. _____ afirm. _____ neg. _____

3. refunfuñes   tú _____ vosotros _____ Ud. _____ Uds. _____ afirm. _____ neg. _____

4. la retengan   tú _____ vosotros _____ Ud. _____ Uds. _____ afirm. _____ neg. _____

5. ría   tú _____ vosotros _____ Ud. _____ Uds. _____ afirm. _____ neg. _____

6. recuérdele   tú _____ vosotros _____ Ud. _____ Uds. _____ afirm. _____ neg. _____

7. os despidáis   tú _____ vosotros _____ Ud. _____ Uds. _____ afirm. _____ neg. _____

8. idos   tú _____ vosotros _____ Ud. _____ Uds. _____ afirm. _____ neg. _____

9. cuélate   tú _____ vosotros _____ Ud. _____ Uds. _____ afirm. _____ neg. _____

10. te quejes   tú _____ vosotros _____ Ud. _____ Uds. _____ afirm. _____ neg. _____

11. haga   tú _____ vosotros _____ Ud. _____ Uds. _____ afirm. _____ neg. _____

12. dé   tú _____ vosotros _____ Ud. _____ Uds. _____ afirm. _____ neg. _____

13. digáis   tú _____ vosotros _____ Ud. _____ Uds. _____ afirm. _____ neg. _____

14. vénzalo   tú _____ vosotros _____ Ud. _____ Uds. _____ afirm. _____ neg. _____

15. muéstrenlas   tú _____ vosotros _____ Ud. _____ Uds. _____ afirm. _____ neg. _____

16. consígannoslos   tú _____ vosotros _____ Ud. _____ Uds. _____ afirm. _____ neg. _____

17. prende   tú _____ vosotros _____ Ud. _____ Uds. _____ afirm. _____ neg. _____

18. siéntense   tú _____ vosotros _____ Ud. _____ Uds. _____ afirm. _____ neg. _____

19. ven   tú _____ vosotros _____ Ud. _____ Uds. _____ afirm. _____ neg. _____

20. ponte   tú _____ vosotros _____ Ud. _____ Uds. _____ afirm. _____ neg. _____

21. lo elija   tú _____ vosotros _____ Ud. _____ Uds. _____ afirm. _____ neg. _____

22. arriesgue   tú _____ vosotros _____ Ud. _____ Uds. _____ afirm. _____ neg. _____

23. dad   tú _____ vosotros _____ Ud. _____ Uds. _____ afirm. _____ neg. _____

24. dormíos   tú _____ vosotros _____ Ud. _____ Uds. _____ afirm. _____ neg. _____

25. la practiques   tú _____ vosotros _____ Ud. _____ Uds. _____ afirm. _____ neg. _____

26. se preocupen   tú _____ vosotros _____ Ud. _____ Uds. _____ afirm. _____ neg. _____

27. péguenle   tú _____ vosotros _____ Ud. _____ Uds. _____ afirm. _____ neg. _____

Actividad #256

Indica si los comentarios siguientes son ciertos o falsos. Para los falsos, a ver si puedes sustituir un vocablo para hacer el comentario cierto.

	cierto	falso
1. Te entristece que el fin de este libro esté aproximándose.		
2. Todos los peques del cole se comportan muy bien.		
3. La escopeta es un arma de fuego.		
4. "Corporal" es la forma adjetival de "cuerpo".		
5. Tú eres el/la primo/a de tu primo/a.		
6. Los mamíferos tienen pelo.		
7. Belice es el único país centroamericano no hispanohablante.		
8. La moneda oficial de Colombia es el peso colombiano.		
9. La "vela" es parte de un barco o un cilindro de cera con mecha.		
10. La grasa es grasosa.		
11. La forma singular de "tamales" es "tamal".		
12. La miel es un producto vegano.		
13. Los canguros son marsupiales.		
14. Una "teoría" en términos científicos es mera especulación.		
15. Tú eres el/la nieto/a de tu nieto/a.		
16. "Mayor" puede significar "más viejo" o "más grande".		
17. Brasil es el único país sudamericano no hispanohablante.		
18. Podemos actualizar desde la Tierra el *software* en Marte.		
19. La forma singular de "títeres" es "títer".		
20. "Delante" y "detrás" son sinónimos.		
21. Si ningún equipo gana al final del partido, los equipos "atan".		
22. La moneda oficial de Ecuador es el dólar estadounidense.		
23. El ornitorrinco es mamífero, aunque pone huevos.		
24. Hay "estaciones" del año, de policía y de radio.		
25. La "llama" es un mamífero camélido y una flama.		
26. "Más grande" puede significar "de mayor edad".		
27. La "manzanilla" es una manzana pequeña.		

Pon los ítems del banco con sus profesiones correspondientes. Para las palabras que desconozcas, sigue tus primeros instintos. Una vez que tengas las seis categorías llenas, investiga tus dudas.

cocinero/a   **jardinero/a**   **entrenador/a**

_____   _____   _____

_____   _____   _____

_____   _____   _____

_____   _____   _____

_____   _____   _____

_____   _____   _____

_____   _____   _____

_____   _____   _____

_____   _____   _____

anestesia, bolígrafo, flexómetro, pelotas, cucharón, cinta, óleos, otoscopio, tijeras, serrucho, agua, azadón, semillas, puntadas, apuntes, bata, vendas, clavos, silbato, caballete, destornillador, acuarelas, báscula, cinturón, olla, aguarrás, manguera, cazuela, martillo, lápiz, gafas, maderos, pinceles, alicates, jeringa, regador, correa, rallador, recetas, lienzo, pala, trapo, pinzas, colador, portapapeles, rastrillo, termómetro, jugadas, mandil, paleta, estetoscopio, batidor, cancha, espátula, guantes, modelo, cronómetro, podador, abrelatas, macetas

carpintero/a   **pintor/a (artista)**   **veterinario/a**

_____   _____   _____

_____   _____   _____

_____   _____   _____

_____   _____   _____

_____   _____   _____

_____   _____   _____

_____   _____   _____

_____   _____   _____

Actividad #258

Para formar cada oración, cambia el orden de palabras y puntuación para que tenga sentido.

1. dos los tienen tres cada usos cuchillos afilar se que por o .

_____

2. tiempo muy despista esa pero es simpática , se todo el mujer .

_____

3. le retinopatía toca de chequeo su rutinario .

_____

4. español fácil entre se vuelve más mi , más practico .

_____

5. ella todavía niña el muñecas caja cuando tiene era y las en alguna en desván coleccionaba .

_____

_____

6. empaqueta poquitas poquito paquetes a Paquito pocos poquito copitas en .

_____

7. a nuevas del ventanas van del son segundo las piso , pero las primer reemplazar piso ya bastante .

_____

_____

8. hasta árbol los rescatarlos bomberos treparon que la niños del , pero los tuvieron cima.

_____

9. di cuchillo robó para vuelta bocadillo un agarrar una media y maldita me gaviota me el .

_____

10. ampollas hasta diera tocó su guitarra que le .

_____

Actividad #259

Para cada verbo conjugado, escribe el sujeto, el tiempo verbal, el modo y su infinitivo. Luego escribe una oración original utilizando el verbo conjugado en contexto.

1. **eran**   sujeto _____   tiempo verbal _____

   infinitivo _____   modo _____

_____

2. **indiquéis**   sujeto _____   tiempo verbal _____

   infinitivo _____   modo _____

_____

3. **se portaba**   sujeto _____   tiempo verbal _____

   infinitivo _____   modo _____

_____

4. **indujeron**   sujeto _____   tiempo verbal _____

   infinitivo _____   modo _____

_____

5. **volvería**   sujeto _____   tiempo verbal _____

   infinitivo _____   modo _____

_____

6. **te mejorarás**   sujeto _____   tiempo verbal _____

   infinitivo _____   modo _____

_____

7. **fuésemos**   sujeto _____   tiempo verbal _____

   infinitivo _____   modo _____

_____

Actividad #260

Llena el espacio en blanco con la conjugación más apropiada de las opciones entre paréntesis.

Delgado – Parte III

Se _____ (supuso/suponía) que "Delgado" _____ (fue/era/estuvo/estaba) su apellido, no ningún mote, pero su nombre de pila nadie lo _____ (supo/sabía/conoció/conocía) excepto quizá su propia madre. Yo _____ (acabo/acababa) de deshacerme de mi mochila en mi hostal delante del cual él y yo _____ (fuimos/éramos/estuvimos/estábamos) parados y él _____ (buscó/buscaba) su propio hostal, que, según las indicaciones, _____ (debió/debía) quedar justo enfrente. Resultaba que él y yo _____ (hemos/habíamos) tomado el mismo autobús del aeropuerto al centro de Cancún y que, efectivamente, _____ (hemos/habíamos) caminado la misma ruta de la estación de autobuses ADO, yo habiendo procedido de Denver, Colorado, EE. UU. y él del D.F. (Distrito Federal), o sea de la Ciudad de México. Al conocernos, él con una misión y yo sin ningún rumbo fijo, _____ (cruzamos/cruzábamos) la calle en busca de su hostal. Justo enfrente, _____ (hubo/había) un edificio enorme que _____ (pareció/parecía) ser algún tipo de almacenaje porque no _____ (había/hubiera) ningún letrero que lo _____ (identificaba/identificara). Rodeando el edificio, _____ (hubo/había) un estacionamiento sin ningún carro estacionado. Eso para mí _____ (fue/era/estuvo/estaba) una mala señal, la cual _____ (indicó/indicaba) que o _____ (era/estaba) abandonado o _____ (pasaron/pasaban) cosas ilícitas allí dentro. _____ (Anduvimos/Andábamos) hacia el fondo del estacionamiento para echar un vistazo al otro lado del edificio y, cuando llegamos, una señorita, quien _____ (fue/era/estuvo/estaba) ya soplando al aire el humo de su último toque de su cigarrillo, tirando la colilla al suelo, _____ (abrió/abría) la puerta y _____ (entró/entraba) en el edificio. Oíamos música dentro y _____ (pareció/parecía) que quizá ese hostal _____ (fue/era/estuvo/estaba) el que _____ (anduvimos/andábamos) buscando. Encima de la puerta, un letrero _____ (dijo/decía) simplemente "Hostal". "A lo mejor sea aquí", Delgado me _____ (decía/dijo) especulando. "Echémosle un vistazo", le _____ (respondí/respondía).

Delgado _____ (abrió/abría) la puerta y _____ (entramos/entrábamos). Una vez adentro, _____ (preguntamos/preguntábamos) en la recepción si _____ (tuvieron/tenían) su reservación y, cuando _____ (investigaron/investigaban), nos _____ (dijeron/decían) que no _____ (hubo/había) ninguna reservación a nombre de "Delgado". Confundido, Delgado les _____ (explicó/explicaba) que Raúl, un amigo suyo, _____ (ha/había) hecho la reservación por él y que a lo mejor se _____ (encontró/encontraba) en el nombre ese, pero _____ (verificaron/verificaban) que tampoco _____ (hubo/había) una reservación a nombre de Raúl. Resignado, Delgado les _____ (preguntó/preguntaba) si _____ (supieron/sabían/conocieron/conocían) otro hostal cercano, insistiendo que ese Raúl no se podría haber equivocado de lugar. Ellos simplemente se _____ (encogieron/encogían) de hombros y se _____ (disculparon/disculpaban). Parecía mentira que ese no _____ (fue/era/fuera/estuvo/estaba/estuviera) el hostal correcto. Así que _____ (salimos/salíamos) desilusionados pero no vencidos y _____ (seguimos/seguíamos) andando en busca del hostal suyo.

La aventura continuará…

Actividad #261

Para cada sustantivo, escribe al menos un verbo de acción asociado con él.

1. un trombón: _____

2. una naranja: _____

3. una fiesta: _____

4. una patineta: _____

5. un sillón: _____

6. un mechero: _____

7. un caballo: _____

8. un queso: _____

9. un champán: _____

10. una cita: _____

11. una esponja: _____

12. un pez: _____

13. un mentor: _____

14. una fila: _____

15. una cortina: _____

16. una obra: _____

17. un garaje: _____

18. un popote: _____

19. una libélula: _____

20. un pomo: _____

21. un cable: _____

22. un *software*: _____

23. una cobija: _____

24. una rosa: _____

25. una rata: _____

26. una cometa: _____

27. un bolígrafo: _____

28. un hacha: _____

29. un pañal: _____

30. una meta: _____

31. un gimnasio: _____

32. un examen: _____

33. una tina: _____

34. un microscopio: _____

35. una espada: _____

36. un menú: _____

37. una paleta: _____

38. una carne: _____

39. una radio: _____

40. una batuta: _____

Actividad #262

Completa la tabla con las formas indicadas del verbo **dar**.

el presente del indicativo   **el presente del subjuntivo**

_____ _____ | _____ _____

_____ _____ | _____ _____

_____ _____ | _____ _____

el imperfecto del indicativo   **el imperfecto del subjuntivo (ra)**

_____ _____ | _____ _____

_____ _____ | _____ _____

_____ _____ | _____ _____

el pretérito del indicativo   **el imperfecto del subjuntivo (se)**

_____ _____ | _____ _____

_____ _____ | _____ _____

_____ _____ | _____ _____

el futuro simple del indicativo   **el imperativo**

_____ _____ | mandar a alguien a *querer* no es práctico

_____ _____ |

_____ _____ |

el condicional del indicativo   **el gerundio**   **el participio pasado**

_____ _____ | _____   _____

_____ _____ |

_____ _____ |

Todas las oraciones siguientes contienen por lo menos un error, sea ortográfico, léxico o gramatical. Reescribe las oraciones corrigiendo todos los errores que identifiques. ¡Ojo! Cambiar alguna cosa de una palabra puede obligarte a cambiar otra cosa de otra palabra para que concuerden.

1. Mi pareja y yo no somos seguro si vamos a mudarnos.

_____

2. Mi abuela nos quiere vivir más cerca de ella.

_____

3. Estoy muy emocionada a ir al baile. ¿Quieres ir conmiga?

_____

4. Mi hija es muy alto para ser una niña de nuevo años.

_____

5. Hay más de cuatrocientos paginas en esto libro.

_____

6. Yo empiezé aprender español dos años pasado.

_____

7. Yo caminé mi perro esta mañana alrededor el parque.

_____

8. No lo vimos arriba cerca, pero creo que fue roto.

_____

9. Me estoy aburrido. Me encantaría estar a la playa.

_____

10. No podía ver a la cantante por qué muchas personas altas estaban en mi manera.

_____

Actividad #264

Para cada oración, llena el hueco con un vocablo lógico. Puede que haya múltiples posibilidades.

1. Son mellizos, pero mi tía nació _____ y luego mi papá.

2. Ella ha mentido sobre sus reportes. No queda más _____ que despedirla.

3. Mi oftalmólogo me ha dicho que perderé la _____ dentro de cinco años.

4. La banda ya tiene dos guitarristas y una baterista, pero nos falta un/a _____.

5. Les ofreceré café descafeinado con leche, pero no tengo _____, solo agave.

6. La _____ es mañana y el equipo que gane se llevará el trofeo.

7. Debo pasar la aspiradora porque el piso está un poco _____.

8. Se fundió la _____ de la nevera y ahora no puedo ver la comida en la noche.

9. No se muerde las uñas porque le falte un cortaúñas; es que lo hace por _____.

10. Qué curioso. Cuando alguien dice "_____" pienso en libros, no en televisión.

11. Me encanta todo el _____ que tienes colgado en las paredes.

12. Cuando no estoy _____ en el gimnasio, me gusta trabajar en mi jardín.

13. Es una _____ videográfica para el salpicadero del carro para captar lo sucedido.

14. Mi sobrina se quedó con una _____ quirúrgica tras la operación cesárea.

15. Con _____ digitales ahora, solo llevo conmigo mi móvil y mi licencia de manejar.

16. Los pingüinos son más parecidos a los _____ que a las aves.

17. A los niños les encanta el pastel con _____, pero es muy dulce para mí.

18. Temo haber _____ un virus porque mi ordenador ya no funciona bien.

19. La fruta se estropeó y por eso la tuve que _____.

20. Qué susto le dio al ladrón cuando el dueño de la casa blandió una _____.

Actividad #265

Los adjetivos descriptivos van pospuestos al sustantivo al que describen para dar contraste. En cambio, suelen ir antepuestos al sustantivo para quitar el contraste y mostrar una característica inherente del dicho sustantivo. Para cada sustantivo a continuación, escribe una oración original con adjetivo pospuesto y otra oración con el mismo adjetivo antepuesto.

1. **ruido**: _____

_____

2. **pingüinos**: _____

_____

3. **cabello**: _____

_____

4. **náufragos**: _____

_____

5. **tamales**: _____

_____

6. **superpoderes**: _____

_____

7. **faros**: _____

_____

8. **inviernos**: _____

_____

9. **robles**: _____

_____

10. **brujas**: _____

_____

Hagamos poesía. Termina cada estrofa con un verso acorde con la rima indicada. Ni tú ni yo somos Pablo Neruda así que no te preocupes de escribir algo profundo. Nomás diviértete.

1. Pizarra, pizarrón (A)
   Guitarra, guitarrón (A)
   Tomo té de una taza (B)

   _____ (A)

2. El biólogo dio un buen monólogo (A)
   La química hizo la mímica (B)
   El matemático es bien acrobático (C)

   _____ (D)

3. Rosa hermosa, cosa espinosa (A)
   Cuidado que no te enganches (B)
   Osa reposa, cosa tramposa (A)

   _____ (B)

4. Nada está bajo control (A)
   Pero todos jugamos un rol (A)
   Algunos se niegan (B)
   A hacer lo que puedan (B)

   _____ (A)

5. Pasa, pesa, pisa, posa (A)
   Todos son verbos distintos (B)
   Masa, mesa, misa, musa (A)

   _____ (B)

6. Programa, masculino; paloma, femenino (A)
   Qué difícil acertarlo todo (B)
   "Agua", femenino con artículo masculino (A)

   _____ (B)

Actividad #267

Reescribe las oraciones siguientes cambiando la voz activa por la voz pasiva: una vez usando "ser" y otra vez usando el "se pasivo".

1. Hay cada vez menos gente que habla algún dialecto maya.

(ser) _____

(se) _____

2. Los estadounidenses celebran el Día de Acción de Gracias.

(ser) _____

(se) _____

3. Puedes oír música de todo el mundo en ese festival internacional.

(ser) _____

(se) _____

4. La señorita de ese puesto vendió varios tipos de miel, algunos medicinales y otros no.

(ser) _____

(se) _____

5. Nuestros alumnos este año han sacado las mejores calificaciones en la historia de la escuela.

(ser) _____

(se) _____

6. Los seres humanos cazaron al mamut hasta su extinción y ahora van a reanimarlo.

(ser) _____

(se) _____

Actividad #268

Lee el diálogo siguiente y contesta las preguntas a continuación.

Martes, 13 de julio del verano pasado

Talía – ¡Hola, guapo!

Nicolás – ¡Talía! Hola. Qué sorpresa verte por aquí en la piscina.

Talía – Esperaba sorprenderte. He venido a verte nadar y hacer clavados.

Nicolás – Me alegra mucho que hayas venido.

Talía – ¿Va a estar Rafa en esta competencia? No lo he visto.

Nicolás – No, él no ha participado en esta liga veraniega. Es que este domingo saldrá para España y ese tío no hace nada a medias. O sea, no empieza nada que no pueda terminar.

Talía – Ah, *okay*. Sabes que hoy es martes trece, ¿verdad? ¿Estás nervioso?

Nicolás – Si estuviera en Latinoamérica, estaría muy nervioso. Pero como estamos en Estados Unidos, la fecha de mala suerte es el viernes trece.

Talía – Ay, Nicolás, qué bromista.

Nicolás – Me conoces bien. Oye, me toca mi primera prueba: el relevo de 4 por 50. ¡Deséame suerte!

Talía – No la necesitas, guapo. ¡Échale ganas!

Talía se sienta en las gradas a ver a Nicolás competir en el relevo de 4 por 50 yardas con los otros tres nadadores de la prueba. Resulta que, aun sin la participación de Rafael, el mejor nadador del equipo universitario, el equipo de Nicolás triunfa. Después de su victoria, Nicolás se une a Talía en las gradas por un rato y hablan de sus planes para la noche...

Talía – Felicitaciones por tu victoria, guapo.

Nicolás – Muchas gracias, pero la victoria no es solo mía. Los otros tres son muy tenaces y no podríamos haberlo hecho sin su increíble talento.

Talía – Vale, pues debemos celebrar su victoria, a solas, aunque los demás sean talentosos. Ja, ja, ja.

Nicolás – Me encantaría. ¿Qué tal si te invito a cenar?

Talía – Acepto, pero yo le doy propina.

Su historia continuará...

Contesta las preguntas siguientes, parafraseando el diálogo entre Talía y Nicolás el martes, 13 de julio del verano pasado. Toma en cuenta el tiempo verbal, la persona y cualquier otra palabra que indique tiempo (anoche, mañana) o espacio (aquí, ese).

1. ¿Cómo le respondió Talía cuando Nicolás le dijo que era una sorpresa verla en la piscina?

_____

2. ¿Qué le dijo Nicolás cuando Talía le dijo a qué había venido?

_____

3. ¿Qué le preguntó Talía a Nicolás sobre Rafa? ¿Qué comentó luego?

_____

4. ¿Cómo le respondió Nicolás sobre Rafa?

_____

_____

_____

5. ¿Qué le dijo Talía sobre la fecha? ¿Qué le preguntó después?

_____

6. ¿Cómo le respondió Nicolás sobre lo del día de mala suerte?

_____

_____

7. ¿Qué le dijo Talía cuando Nicolás le dijo que le deseara suerte?

_____

8. ¿Cómo le respondió Nicolás cuando Talía lo felicitó por su victoria?

_____

_____

9. ¿Qué le dijo Talía en cuanto a celebrar la victoria de Nicolás?

_____

Actividad #269

Completa la tabla con las formas relacionadas que faltan. Puede que haya múltiples posibilidades.

	sustantivo	adjetivo	verbo
1.	el verano	_____	_____
2.	la evacuación	_____	_____
3.	_____	_____	comprender
4.	la calle	_____	_____
5.	_____	actual	_____
6.	_____	filosófico	_____
7.	_____	_____	agrandar
8.	_____	navegante	_____
9.	la separación	_____	_____
10.	_____	_____	pedantear
11.	la demostración	_____	_____
12.	_____	normal	_____
13.	_____	_____	transcribir
14.	la sofocación	_____	_____
15.	_____	caliente	_____
16.	_____	_____	impresionar
17.	la abertura	_____	_____
18.	_____	combatiente	_____
19.	_____	_____	crecer
20.	el impedimento	_____	_____

Actividad #270

Lee la lectura siguiente y llena cada hueco con un vocablo lógico según el contexto. ¡Ojo! Habrá múltiples posibilidades. La idea no es tener razón, sino explorar el uso del idioma y retarse.

Yo nací en abril del 1977 y, si tienes más años que yo, no tengo que informarte que la tecnología en aquella _____ era muy distinta de la que disfrutamos hoy en día. Los medios de música han pasado por muchas _____ desde los setenta. Antes de la existencia de la música digital, había discos con tocadiscos y luego los audiocasetes con caseteras. Las _____ personales apenas existían, pero yo no conocía a nadie que tuviera una, así que para escribir un _____ para la escuela, usabas lápiz o bolígrafo y hojas sueltas de papel o, en algunas circunstancias, una máquina de escribir si aun sabías escribir a máquina sin tardar todo el día. Los teléfonos _____ ni siquiera existían, ni tampoco existían los teléfonos _____, que yo sepa. Nop, en aquella época, todos los teléfonos tenían alambres que te anclaban a la _____. Para llamar a alguien, tenías que literalmente _____ el teléfono, _____ el número y esperar que la línea no estuviera _____. Como toda la familia en _____ casa compartía un número telefónico, cuando alguien contestaba tu _____, tenías que identificarte cada vez y _____ por la persona con la que desearas hablar porque no existía aún la tecnología para identificar al _____. Si nadie contestaba tu llamada, el teléfono _____ sonaba y sonaba y sonaba porque poca gente tenía contestador para que dejaras un _____. Hoy en día tomamos mucha tecnología por común, pero usé mi primer horno de _____ en 1988 y no había experimentado el aire acondicionado en casa hasta que me mudé solo a mi primer apartamento en 1996, y aun así era un aparato de ventana que apenas funcionaba. Las películas de ciencia ficción predecían para el _____ XXI tecnología como coches voladores y _____ espacial turística, pero ya sabes que la evolución de la tecnología ha seguido otro _____.

Actividad #271

Escribe dos oraciones originales utilizando los adjetivos indicados y los verbos *ser* y *estar*.
Asegúrate de dar suficiente contexto para que se note la diferencia.

1. (ser entretenido/a) _____

    (estar entretenido/a) _____

2. (ser alto/a) _____

    (estar alto/a) _____

3. (ser atento/a) _____

    (estar atento/a) _____

4. (ser cansado/a) _____

    (estar cansado/a) _____

5. (ser destruido/a) _____

    (estar destruido/a) _____

6. (ser frío/a) _____

    (estar frío/a) _____

7. (ser delicioso/a) _____

    (estar delicioso/a) _____

8. (ser claro/a) _____

    (estar claro/a) _____

9. (ser preparado/a) _____

    (estar preparado/a) _____

10. (ser guapo/a) _____

    (estar guapo/a) _____

Actividad #272

Para cada oración, escribe la mejor respuesta en el espacio en blanco.

1. Todos son apodos familiares comunes excepto _____.

    a. apá   b. abue   c. mija   d. espo

2. Te puedes calzar con todos estos salvo _____.

    a. medias   b. calcetines   c. zarzamoras   d. zapatillas

3. Todos son superhéroes de los cómics menos _____.

    a. Mujer Maravilla   b. Jinete Amarillo   c. Flecha Verde   d. Chica Halcón

4. Todos son libros salvo _____.

    a. el tesoro   b. el diccionario   c. la enciclopedia   d. la silueta

5. Todos son realmente frutas menos _____.

    a. la pimienta   b. el calabacín   c. el pepino   d. el tomate

6. Todos son articulaciones móviles del cuerpo humano excepto _____.

    a. las caderas   b. los codos   c. los nudillos   d. las encías

7. Todos son direcciones cardinales salvo _____.

    a. el sudeste   b. el sudnorte   c. el noroeste   d. el noreste

8. Todos estos emiten luz menos _____.

    a. el foco   b. la luciérnaga   c. la sombra   d. el farol

9. Todos estos animales son mamíferos excepto _____.

    a. el cachalote   b. la jirafa   c. el murciélago   d. el avestruz

10. Todos estos son árboles menos _____.

    a. el naranjo   b. el banano   c. el manzano   d. el ciruelo

Actividad #273

Llena cada espacio en blanco con el **participio pasado** del verbo entre paréntesis. ¡Ojo! Presta mucha atención al contexto ya que el participio pasado puede servir de adjetivo o adverbio.

1. El agua estaba _____ después de la fuga de petróleo. (contaminar)

2. Su casa está _____ un desastre. (hacer)

3. Mis piernas estaban muy _____ cuando regresé a casa. (cansar)

4. ¿Te han _____ los aperitivos? (gustar)

5. Los eventos que han sido _____ por ese tonto son pura coincidencia. (predecir)

6. Ha _____ varios errores en los reportes recientes. (haber)

7. Habiéndome _____ en la clase, ahora me siento animada. (inscribir)

8. La junta directiva ha _____ su decisión hasta la próxima semana. (posponer)

9. El calabacín _____ es más sabroso de lo que tú crees. (freír)

10. Se me han _____ las llaves otra vez. (perder)

11. La fuga de petróleo ha _____ al agua. (contaminar)

12. Su vida se ha _____ un desastre. (hacer)

13. No me gustan esas imágenes _____. ¿Se puede cambiar? (yuxtaponer)

14. Todos mis abuelos están _____. (morir)

15. Tienen _____ sus camas y no sé qué cosas en el piso. (deshacer)

16. Nosotras ya habíamos _____ dos partidos antes del mediodía. (jugar)

17. ¿Has _____ hacer tu tarea para mañana? (poder)

18. Nosotras nos hemos _____ corriendo por todas partes. (cansar)

19. Los problemas se han _____ solos. (resolver)

20. Tengo _____ toda la información que vamos a necesitar. (apuntar)

Actividad #274

Indica si los comentarios siguientes los dudas o los crees. Para los que dudes, imagina el subjuntivo que resultaría si las frases empezaran por "Dudo que…"

	lo dudo	lo creo
1. Los delfines son capaces de temer a la muerte.		
2. Las vacunas contienen nanobots.		
3. Mi tío conoce a alguien que ha vuelto de la muerte.		
4. Hay tantos pelitos en tu cabeza como estrellas en el universo.		
5. El mundo es gobernado por gente reptil, en sentido literal.		
6. La tiranía es cualquier decisión gubernamental que no me guste.		
7. Alrededor del globo, hay quienes creen en una Tierra plana.		
8. Inteligencia artificial ha predicho el fin del mundo.		
9. Los delfines son capaces de reconocerse en un espejo.		
10. Mi tío conoce a alguien que ha sido raptado por extraterrestres.		
11. La gran colisionador de hadrones es la máquina más grande.		
12. Hay tantos granos de arena en la Tierra como estrellas.		
13. Alguna programación infantil tiene mensajes subliminales.		
14. La mayoría de las teorías de conspiración se originan de pelis.		
15. Mi tío conoce a alguien que tiene dieciocho récords mundiales.		
16. El color del cascarón de huevo depende del color de la gallina.		
17. Las torres de telefonía celular de 5G causan enfermedades.		
18. Los chimpancés son capaces de reconocerse en un espejo.		
19. Mi tío conoce a alguien que puede hablar con animales.		
20. La Tierra es hueca y hay portales al centro en los dos polos.		
21. Hay miles de millones de planetas habitables en el universo.		
22. Los pelirrojos son descendientes de extraterrestres.		
23. Finlandia no existe. Sí, Finlandia, el país, es una mentira.		
24. Mi tío es capaz de reconocerse en un espejo.		
25. Los Beatles nunca existieron. Eran nomás diferentes actores.		
26. Hay tres entidades mundiales nefarias que controlan tooooodo.		
27. El truco más grande de mi tío fue convencerte que no existía.		

Actividad #275

Que un regalo sea bueno o malo es subjetivo y, claro, depende de quién y a quién se lo dé. Para cada persona, pon los regalos en categorías para indicar que de esa persona serían buenos o malos.

oso de peluche, flores, tarjeta de cumpleaños, palmada en la espalda, beso en la frente, dulces, reloj viaje a Costa Rica, día libre de tus deberes, tarjeta de regalo, bocina inalámbrica, taza de cerámica botella de vino, bolsa de café, donación en tu nombre, juego de bolígrafos, pastel, globos, almuerzo

1. de tu pareja romántica

buen regalo: _____

_____

mal regalo: _____

_____

2. de tu jefe/a

buen regalo: _____

_____

mal regalo: _____

_____

3. de tus hijos/as

buen regalo: _____

_____

mal regalo: _____

_____

3. de tu mejor amigo/a

buen regalo: _____

_____

mal regalo: _____

_____

Actividad #276

Para formar cada oración, cambia el orden de palabras y puntuación para que tenga sentido.

1. carreras de tiempo un quisiera máquina la que no sería coche de .

_____

2. acabado colorado este se colorín ha cuento .

_____

3. no qué a gusta no huele esa , pero sé sí sé flor que me .

_____

4. que sé respetarlas en intenciones cuanto a y él tus tendrá honesta .

_____

5. ocupada estás que pudieras que me ayudar , parece pero me esperaba demasiado .

_____

6. todo nuevo comprar actividades cuando con este de , deberé de acabe otro para libro hacer .

_____

_____

7. niños la es la creíamos complicada fantasía realidad la que más en cual de .

_____

8. daño no se sino que gente me la no preocupa piensen de , que mí que hecho les acuerde he algún .

_____

_____

9. la le huela aplicaste capa de ha toda barniz que fatal que casa hecho la .

_____

10. tocar cuerda me la puedo rompió ahora una de se guitarra y no .

_____

298

Actividad #277

Para cada verbo conjugado, escribe el sujeto, el tiempo verbal, el modo y su infinitivo.

1. **tropiece**   sujeto _____   tiempo verbal _____

   infinitivo _____   modo _____

_____

2. **juntasen**   sujeto _____   tiempo verbal _____

   infinitivo _____   modo _____

_____

3. **había habido**   sujeto _____   tiempo verbal _____

   infinitivo _____   modo _____

_____

4. **soy**   sujeto _____   tiempo verbal _____

   infinitivo _____   modo _____

_____

5. **hubieran tenido**   sujeto _____   tiempo verbal _____

   infinitivo _____   modo _____

_____

6. **compliqué**   sujeto _____   tiempo verbal _____

   infinitivo _____   modo _____

_____

7. **leyó**   sujeto _____   tiempo verbal _____

   infinitivo _____   modo _____

_____

Llena el espacio en blanco con la conjugación más apropiada de las opciones entre paréntesis.

Delgado – Parte IV

Parecía mentira que _____ (había/hubiera) un hostal en el aquel

estacionamiento que no _____ (fue/era/fuera/estuvo/estaba/estuviera) el hostal

donde Raúl, el amigo de Delgado, le _____ (reservó/reservaba/había reservado)

una cama para aquella noche. Insistiendo que _____ (tuvo/tenía/había) que haber

otro hostal en el mismo estacionamiento, por muy improbable que _____

(pareció/parecía/pareciera), Delgado no _____ (perdió/perdía) la fe.

En el lado del edificio opuesto al que ya _____ (hemos/habíamos) visto,

el lado norte, si no me _____ (equivoco/equivoqué), vimos que _____

(hubo/había) otro edificio igual de largo y nos _____ (animamos/animábamos) a

investigar si _____ (contuvo/contenía) otro hostal igual de escondido, quizá el

que _____ (buscamos/buscábamos). A medida que nos _____

(acercamos/acercábamos), _____ (vi/veía) que _____

(hubo/había) un letrero colgando encima de una puerta a diez metros de la calle que

_____ (hemos/habíamos) cruzado desde el hostal mío. "Hostal", _____

(gritó/gritaba) Delgado. Por pura emoción de haberlo encontrado, como un par de niños habiendo

encontrado un tesoro escondido, _____ (empezamos/empezábamos) a correr

hacia la puerta.

_____ (Entramos/Entrábamos) y _____ (vimos/veíamos)

que _____ (hubo/había) muchas personas, algunas sentadas en los sofás tomando

una copa, otras sentadas a unas mesas en sillas de mimbre jugando a las cartas o a otro juego de

mesa, y unas cuantas personas andando. "Este tiene que serlo", _____ (dijo/decía) Delgado con una sonrisa bien grande. Vimos que _____ (era/estaba/había) un bar allí mismo en el primer piso y nos _____ (acercamos/acercábamos) a la barra a preguntar por la recepción. "Es aquí mismo", _____ (respondió/respondía) el barman. "Tú debes de ser Delgado. Raúl me _____ (dijo/decía) que _____ (fuiste/ibas) a llegar hoy. "Soy José" y estamos aquí para cualquier cosa que _____ (necesitas/necesites). "Mucho gusto, y qué tal unos traguitos, para mí y para mi amigo David", _____ (respondió/respondía) Delgado. "A tus órdenes, pero la casa te invita".

¿"La casa te invita"?, _____ (repetí/repetía) en mi cabeza. "El hostal mío apenas me ofrece una cama en un cuarto compartido y un baúl para resguardar mis pertenencias, ¿y este hostal invita a sus huéspedes a unos tragos? Sin duda me _____ (he/había) equivocado de sitio". Como _____ (hubo/había) tanta energía positiva, _____ (decidí/decidía) pasar el resto de la tarde (y la noche) allí y solo regresar a mi aburrido hostal cuando los festejos se _____ (acabaron/acababan/acabaran). De lo que más tarde me _____ (enteraba/enteraría) fue que ese hostal no _____ (invitó/invitaba/invitara) a un trago a cualquiera de sus huéspedes que se _____ (acercó/acertaba/acercara) a la barra, solo a sus huéspedes más, digamos, "importantes". Me _____ (enteraba/enteraría) de que Delgado no _____ (fue/era) un viajero cualquiera como yo, que ese _____ (anduvo/andaba) por muchas partes de México con una reputación que lo _____ (precedió/precedía). Y no podría haber previsto la oferta que me _____ (proponía/propondría) antes de que _____ (partí/partía/partiera/partiría).

La aventura continuará…

Actividad #279

Para cada sustantivo, escribe al menos un verbo de acción asociado con él.

1. un puercoespín: _____

2. un homenaje: _____

3. una alabanza: _____

4. un contrato: _____

5. un centímetro: _____

6. un lunes: _____

7. una clínica: _____

8. una mesa: _____

9. una plaza: _____

10. un cinturón: _____

11. un requisito: _____

12. un boleto: _____

13. Saturno: _____

14. un inodoro: _____

15. un anillo: _____

16. una taza: _____

17. una especia: _____

18. un pavo: _____

19. un peral: _____

20. un desastre: _____

21. un eclipse: _____

22. una enfermedad: _____

23. un idioma: _____

24. un tren: _____

25. una catedral: _____

26. una mochila: _____

27. un cigarro: _____

28. un kilogramo: _____

29. una flor: _____

30. un porche: _____

31. una pared: _____

32. un mapa: _____

33. un periódico: _____

34. un horario: _____

35. un camisón: _____

36. una boda: _____

37. unas tijeras: _____

38. una milla: _____

39. una vela: _____

40. un beso: _____

Completa la tabla con las formas indicadas del verbo **_morir_**.

el presente del indicativo   **el presente del subjuntivo**

_____ _____ | _____ _____

_____ _____ | _____ _____

_____ _____ | _____ _____

el imperfecto del indicativo   **el imperfecto del subjuntivo (ra)**

_____ _____ | _____ _____

_____ _____ | _____ _____

_____ _____ | _____ _____

el pretérito del indicativo   **el imperfecto del subjuntivo (se)**

_____ _____ | _____ _____

_____ _____ | _____ _____

_____ _____ | _____ _____

el futuro simple del indicativo   **el imperativo**

_____ _____ | _____

_____ _____ | _____

_____ _____ | _____

el condicional del indicativo   **el gerundio**   **el participio pasado**

_____ _____ | _____ _____

_____ _____ |

_____ _____ |

Actividad #281

Todas las oraciones siguientes contienen por lo menos un error, sea ortográfico, léxico o gramatical. Reescribe las oraciones corrigiendo todos los errores que identifiques. ¡Ojo! Cambiar alguna cosa de una palabra puede obligarte a cambiar otra cosa de otra palabra para que concuerden.

1. Mis sobrinas encantan los animales de peluche y es por eso que las compré.

_____

2. Fueron infermo cuando los visité, así que llevábamos mascarillas.

_____

3. Nos casas es viejo y no tienen calefación central.

_____

4. Tengo un coche nueve que compre para mi trabajo.

_____

5. Cuando era niña, prefiera leer en la mesa de la comedor.

_____

6. Estamos en la pagina tresciento y cuarto.

_____

7. Me faltan tres más semanas antes de mí vacación.

_____

8. Necisito cambiar nuestro lesión de español este juves.

_____

9. No puedo creer que vas a graduar en viernes.

_____

10. Mi y mi esposo tuvimos divertido el fin de semana pasada.

_____

Actividad #282

Los adjetivos descriptivos van pospuestos al sustantivo al que describen para dar contraste. En cambio, suelen ir antepuestos al sustantivo para quitar el contraste y mostrar una característica inherente del dicho sustantivo. Para cada sustantivo a continuación, escribe una oración original con adjetivo pospuesto y otra oración con el mismo adjetivo antepuesto.

1. **perfumes**: _____

_____

2. **plomería**: _____

_____

3. **museos**: _____

_____

4. **clima**: _____

_____

5. **cortinas**: _____

_____

6. **preferencias**: _____

_____

7. **sinfonías**: _____

_____

8. **escrituras**: _____

_____

9. **modas**: _____

_____

10. **grasas**: _____

_____

Actividad #283

Hagamos poesía. Termina cada estrofa con un verso acorde con la rima indicada. Ni tú ni yo somos Pablo Neruda así que no te preocupes de escribir algo profundo. Nomás diviértete.

1. Los famosos cuatro jinetes (A)
   Una señal del Apocalipsis (B)
   Realmente esculpen juguetes (A)

   _____ (B)

2. Mi gato de peluche favorito (A)
   A mí me lo dio mi abuelito (A)
   Le pegué con el codo (B)
   Se me cayó en el lodo (B)

   _____ (A)

3. Rana René de noche y de día (A)
   Me divertía cada vez más (B)
   Tocaba su banyo, cantaba melodía (A)

   _____ (B)

4. "Quiquiriquí", dicen los gallos así (A)
   Entusiasmados perros, "guau, guau" (B)
   Los grillos en la noche dicen siempre cricrí (A)

   _____ (B)

5. Tradiciones extrañas (A)
   Marcan civilizaciones (B)
   Y si no te engañas (A)

   _____ (B)

6. Espadas y escudos (A)
   Caballos y barbudos (A)
   Épocas enteras (B)
   Repletas de hombres rudos (A)

   No somos menos crudos (A)
   Ni menos testarudos (A)
   Élites fronteras (B)

   _____ (A)

Reescribe las oraciones siguientes cambiando la voz pasiva por la voz activa. Si no hay sujeto escrito para la voz activa, por la naturaleza de la voz pasiva, tendrás que inventar uno lógico.

1. Los dos proyectos fueron descartados cuando la directora fue despedida.

_____

2. La entrega fue rechazada por la secretaria porque no había remitente en la etiqueta.

_____

3. La candidata presidencial fue desaparecida porque se oponía al régimen.

_____

4. Se tiran tomates en la Tomatina, pero se cortan de antemano para que la gente no se lastime.

_____

_____

5. El desayuno en ese restaurante se sirve entre las 6:00 de la mañana y las 2:00 de la tarde.

_____

6. Se habla español en mi banco.

_____

7. La víctima fue asesinada a sangre fría, pero, de momento, no hay sospechoso ni motivo.

_____

8. Los regalos fueron recolectados por la organización, pero se perdieron misteriosamente.

_____

9. No se celebra el Renacimiento en el festival. Más bien se celebra la Edad Media.

_____

10. El secreto del truco fue revelado por el mago al final del espectáculo.

_____

Actividad #285

Lee el diálogo siguiente y contesta las preguntas a continuación.

Martes, 13 de julio del verano pasado

Patricia – Muy buenas tardes, señorita. ¿En qué te puedo servir? Ja, ja, ja.

Isabel – Uuuuh, muy profesional. Ja, ja, ja. ¿Así tienes que saludar a todos tus clientes?

Patricia – Nah, todo aquí es muy informal, la verdad, ya que casi todos los clientes son alumnos. Pero normalmente, cuando un grupo de profesores se acerca, me pongo más formal.

Isabel – Qué bueno que sigues trabajando aquí. Me parece que es un trabajo conveniente para una alumna tan estudiosa como tú.

Patricia – Es cierto. Como estoy tomando tres clases este verano para adelantar mi fecha de graduación, me conviene mucho trabajar para el café del campus. El horario es flexible y puedo trabajar entre clases.

Isabel – Sigo trabajando en la librería. Me gusta y todos son muy simpáticos, pero es tiempo de que busque un trabajo que no me obligue a trabajar en las noches y fines de semana.

Patricia – Nosotros estamos contratando y el proceso es muy informal. ¿Por qué no hablas con el gerente ahora?

Isabel – ¿De veras? Sería perfecto.

Patricia – Dame un ratito. Ya vengo.

Patricia se acerca al gerente y hablan sobre Isabel. Patricia le dice que Isabel es una buena amiga y que es profesional y responsable. Patricia regresa acompañada del gerente a hablar con Isabel.

Gerente – Buenos días, Isabel. Soy Manolo. Mucho gusto en conocerte.

Isabel – El gusto es mío.

Gerente – Patri me ha dicho que te interesa trabajar aquí y que eres profesional y responsable. Si es así, tengo una sola pregunta de entrevista: ¿cuándo puedes empezar?

Isabel – ¿Así de simple? ¡Fenomenal! Pues avisaré hoy a mi jefe y podré empezar en dos semanas.

Gerente – Trato hecho. Bienvenida. Nos vemos en dos semanas.

Isabel – ¡Gracias, Patri, no me lo puedo creer!

Patricia – No hay de qué. Como empleada, no tienes que pagar tu café. Ahora, ¿en qué te puedo servir, señorita? Ja, ja, ja.

Isabel – Bueno quiero un expreso, y que dejes que te invite a cenar esta noche para celebrar.

Patricia – Acepto, pero yo le doy propina.

Su historia continuará…

Contesta las preguntas siguientes, parafraseando el diálogo entre Patricia e Isabel el martes, 13 de julio del verano pasado. Toma en cuenta el tiempo verbal, la persona y cualquier otra palabra que indique tiempo (anoche, mañana) o espacio (aquí, ese).

1. ¿Qué le preguntó Yolanda al saludar a Isabel?

_____

2. ¿Cómo le respondió Patricia cuando Isabel le preguntó si tenía que saludar así a todos?

_____

_____

3. ¿Cómo le respondió Patricia cuando Isabel le comentó sobre la conveniencia de trabajar allí?

_____

_____

_____

4. ¿Qué le dijo Isabel a Patricia sobre su trabajo en la librería?

_____

_____

5. ¿Qué le dijo Patricia sobre el café donde trabajaba? ¿Qué le preguntó luego?

_____

_____

6. ¿Qué le dijo a Isabel el gerente del café después de presentarse? ¿Qué le preguntó luego?

_____

_____

7. ¿Qué le dijo Isabel al gerente en cuanto al puesto y a su entonces trabajo?

_____

8. ¿Qué le dijo Isabel cuando Patricia le preguntó de nuevo en qué le podía servir?

_____

Actividad #286

Para cada adjetivo o adverbio, propón un diminutivo *o* un aumentativo según tenga sentido. Para cada sustantivo, propón un diminutivo *y* un aumentativo.

	diminutivo	**aumentativo**
1. una casa		
2. frustrados		
3. un libro		
4. cómodo		
5. un tenedor		
6. unos calzones		
7. un paso		
8. joven		
9. temprano		
10. la mañana		
11. la noche		
12. cansados		
13. un parque		
14. una gata		
15. un burro		
16. una caja		
17. flaco		
18. bajas		
19. unos papeles		
20. un rato		

Actividad #287

Para cada oración, escribe la mejor respuesta en el espacio en blanco.

1. Todos son recipientes menos _____.

    a. un frasco   b. una botella   c. un lente   d. una vasija

2. Normalmente puedes cerrar y asegurar todos con llave menos _____.

    a. un maletín   b. una puerta   c. una valija   d. un sobre

3. Todos son aparatos eléctricos pequeños de cocina salvo _____.

    a. una lavadora   b. una batidora   c. una licuadora   d. una tostadora

4. Todos estos adjetivos se refieren al pelo de alguien excepto _____.

    a. peludo   b. panzudo   c. barbudo   d. bigotudo

5. Todos estos se refieren a una característica física humana menos _____.

    a. panzón   b. pelón   c. cabezón   d. telón

6. Todos son productos lácteos excepto _____.

    a. el quesillo   b. la mayonesa   c. el yogur   d. la nieve

7. Todos son utensilios de cocina menos _____.

    a. un rallador   b. un batidor   c. un pelador   d. un labrador

8. Todos se encuentran a menudo encima de la mesa del comedor menos _____.

    a. el salero   b. el pimentero   c. el servilletero   d. el plomero

9. Se preparan los huevos de gallina de todas estas maneras salvo _____.

    a. estrellados   b. revueltos   c. cocidos   d. malvados

10. Esta es mi última actividad así y ahora me siento _____.

    a. satisfecho/a/e   b. orgulloso/a/e   c. deprimido/a/e   d. enfadado/a/e

Reescribe las siguientes oraciones en negativo, sustituyendo el indicativo del verbo subrayado por el subjuntivo correspondiente y cualquier otra palabra que sea necesaria (también/tampoco, etc.).

1. Tengo una pluma que te prestaré.

_____

2. Veo que le he herido los sentimientos.

_____

3. Yo te dije ayer que iba a hacer frío hoy.

_____

4. Era muy obvio que no ella volvería hasta el día siguiente.

_____

5. Oí que él ya había cenado.

_____

6. Sospecho que ese tío es culpable.

_____

7. Creo que pasaron el fin de semana en las montañas.

_____

8. Es evidente que habrían terminado si la sirena no los hubiera interrumpido.

_____

9. Es cierto que, al fin de cuentas, habrán trabajado más este año que el año pasado.

_____

10. Los pronósticos indican que lloverá mañana.

_____

Actividad #289

Indica si las acciones siguientes son buenas ideas o malas ideas.

	buena idea	mala idea
1. Que compres cualquier cosa porque te sientes pobre.	_____	_____
2. Que eches a la basura las pilas recargables.	_____	_____
3. Que uno trabaje hasta la muerte por no haber planificado nada.	_____	_____
4. Que hagas de nuevo este libro de ejercicios desde el principio.	_____	_____
5. Que tratemos de ser el/la mejor en todo.	_____	_____
6. Que prioricemos nuestra salud tanto mental como física.	_____	_____
7. Que vayas de compras al supermercado cuando tienes hambre.	_____	_____
8. Que perjudiques a los demás antes de que te perjudiquen a ti.	_____	_____
9. Que todos hagamos lo que nos pegue la gana.	_____	_____
10. Que uno gaste todo su sueldo jugando a los tragamonedas.	_____	_____
11. Que uno vaya al trabajo cuando se siente enfermo.	_____	_____
12. Que inviertas en tu futuro, de una manera u otra, cada día.	_____	_____
13. Que uno lleve puestos los mismos calcetines tres días seguidos.	_____	_____
14. Que sintamos empatía hacia nuestro prójimo.	_____	_____
15. Que uno invierta todo su dinero en una criptomoneda.	_____	_____
16. Que uno trabaje hasta la muerte porque ama lo que hace.	_____	_____
17. Que imprimas solo los documentos que necesites impresos.	_____	_____
18. Que uno coma por estrés, no por hambre.	_____	_____
19. Que uno explore su lado creativo, aunque no sea muy artístico.	_____	_____
20. Que pases tu vida vengándote de los demás.	_____	_____
21. Que compartas tu clave wifi con tus vecinos de al lado.	_____	_____
22. Que uno haga cada día algo que lo haga feliz.	_____	_____
23. Que todo el mundo piense en el bien de todos, no solo el suyo.	_____	_____
24. Que intentemos hacer lo mejor que podamos, en cada cosa.	_____	_____
25. Que ignores tus instintos cuando algo te da mala espina.	_____	_____
26. Que socaves a tus colegas para que tú mismo puedas avanzar.	_____	_____
27. Que te quites con dientes la mugre debajo de tus uñas.	_____	_____

Actividad #290

Para formar cada oración, cambia el orden de palabras y puntuación para que tenga sentido.

1. ¿ hay qué buscar por donde no los problemas ?

_____

2. del ha presidenta Magda se para postulado club .

_____

3. tu mandármelo de vez que una itinerario , el hazme tengas favor .

_____

4. hecho hermano lado si mayor a no qué habría mi sé yo no mi hubiera tenido a .

_____

5. bien ya aprender nada la sabes eléctrico el guitarra , si te bajo no tocar costará .

_____

6. cerrar me sala de olvidó hogar viento la partes se todas puerta tengo del y por el cenizas por la .

_____

_____

7. es ella buena no toca que no el piano que bien muy , pero cree sabe lo .

_____

8. la mesa reunión sobre la carta está en sobre el sobre la .

_____

9. el nada similares es muy el similar a la guitarra , el pero guitarrón son bajón y bajo no .

_____

10. casual bien lo que no mejor hay pero mal que por es no venga dicen , a todo .

_____

Actividad #291

Para cada verbo conjugado, escribe el sujeto, el tiempo verbal, el modo y su infinitivo.

1. **iba** sujeto _____ tiempo verbal _____

infinitivo _____ modo _____

2. **proveyera** sujeto _____ tiempo verbal _____

infinitivo _____ modo _____

3. **comparará** sujeto _____ tiempo verbal _____

infinitivo _____ modo _____

4. **hubiste** sujeto _____ tiempo verbal _____

infinitivo _____ modo _____

5. **oí** sujeto _____ tiempo verbal _____

infinitivo _____ modo _____

6. **podremos** sujeto _____ tiempo verbal _____

infinitivo _____ modo _____

7. **copia** sujeto _____ tiempo verbal _____

infinitivo _____ modo _____

Actividad #292

En inglés, el gerundio puede servir de sustantivo o de adverbio mientras que, en español, solo sirve de adverbio. En casos impersonales del verbo en los que se requiere un sustantivo, solo el infinitivo sirve. Piénsalo así: el infinitivo contesta la pregunta "qué" y el gerundio contesta la pregunta "cómo". Para cada oración, llena el espacio en blanco con la forma correcta.

1. Es difícil _____ en tu coche, pero a veces te toca. (dormir/durmiendo)

2. _____ ver el final, decidí cortar por lo sano. (poder/pudiendo)

3. _____ todas mis pertenencias en mi mochila es duro. (traer/trayendo)

4. _____ terminado toda mi tarea, decidí salir a festejar. (haber/habiendo)

5. _____ cómo hacer algo no es lo mismo que _____ hacerlo. (saber/sabiendo)

6. _____ introvertido, prefería leer en casa solo. (ser/siendo)

7. _____ en sentido opuesto, los chicos no se encontraron el uno al otro. (ir/yendo)

8. El único método anticonceptivo el 100% eficaz es _____. (abstenerse/absteniéndose)

9. _____ felizmente es mi meta principal en la vida. (vivir/viviendo)

10. Aprenderás mucho _____. (escribir/escribiendo)

11. Te sentirás mejor después de _____ un rato. (descansar/descansando)

12. _____ la casa, me siento empoderado. (limpiar/limpiando)

13. Está mal visto ahora _____ a la puerta de un amigo sin avisar. (tocar/tocando)

14. Ella pasa ocho horas al día en su trabajo _____. (fingir/fingiendo)

15. _____ que comenzar algo de nuevo es muy duro. (tener/teniendo)

16. Sin _____, rescataste la empresa de bancarrota. (saberlo/sabiéndolo)

17. Estando _____, no oí tu llamada. (bañarme/bañándome)

18. Me siento sumamente libre por _____ vendido mi carro. (haber/habiendo)

19. Prefiero _____ por el barrio _____ música.
        (correr/corriendo)   (escuchar/escuchando)

20. Prefiero _____ música _____ por el barrio.
        (escuchar/escuchando)   (correr/corriendo)

Los adjetivos descriptivos van pospuestos al sustantivo al que describen para dar contraste. En cambio, suelen ir antepuestos al sustantivo para quitar el contraste y mostrar una característica inherente del dicho sustantivo. Para cada sustantivo a continuación, escribe una oración original con adjetivo pospuesto y otra oración con el mismo adjetivo antepuesto.

1. **aurora boreal**: _____

_____

2. **medicinas**: _____

_____

3. **suéteres**: _____

_____

4. **atletas**: _____

_____

5. **delincuentes**: _____

_____

6. **estafadores**: _____

_____

7. **milagros**: _____

_____

8. **destinos**: _____

_____

9. **autorretratos**: _____

_____

10. **amaneceres**: _____

_____

Actividad #294

Llena el espacio en blanco con la conjugación más apropiada de las opciones entre paréntesis.

Delgado – Parte V

Delgado se _____ (tragó/tragaba) su chupito, _____ (pidió/pedía)

otros dos y, arqueando una ceja, me _____ (miró/miraba) de reojo como para

insistir en que yo también me _____ (tragué/tragaba/tragara/tragaría) el mío. Yo

casi no _____ (tomé/tomaba) alcohol en esa época, pero _____

(he/había) ido a México para divertirme y despejarme la mente, así que _____

(cumplí/cumplía) con su petición. "Ufff, ¡qué fuerte!" _____ (comenté/comentaba).

Delgado se _____ (rio/reía) a carcajadas y me _____ (dio/daba) una

palmada fuerte en la espalda. "Solo lo mejor para mis amigos, David". El barman nos

_____ (sirvió/servía) nuestros segundos chupitos y, sin dudar, Delgado y yo nos los

_____ (tragamos/tragábamos). Yo _____ (estuve/estaba) bien

agradecido que el hostal también _____ (sirvió/servía/serviría/sirviera) comida

porque yo _____ (sabía/sabría) que _____ (necesité/necesitaría)

comer de inmediato para así evitar la borrachera inminente que _____

(amenazó/amenazaba), y con ese Delgado, no _____ (tardé/tardaba) mucho tiempo

en darme cuenta de que yo _____ (fui/iba/iría) a necesitar mantenerme alerta y con

todas mis facultades el resto de la noche.

Delgado se levantó del taburete en el que _____ (estuvo/estaba) sentado, y le

preguntó al barman por su habitación para poder guardar su mochila. El barman _____

(llamó/llamaba) a una señorita a que _____ (ayudó/ayudaba/ayudaría/ayudara) a

Delgado a encontrar su cuarto. Mientras tanto, yo ya _____ (estuve/estaba)

pidiendo algo de comer. Cuando Delgado _____ (regresó/regresaba), ya

_____ (ha/había) hecho algunos amigos. Bueno, más bien, tres amigas, y los cuatro se acercaron a la barra. Delgado _____ (ordenó/ordenaba) una botella entera del mismo tequila que él y yo ya _____ (hemos/habíamos) bebido. Como Delgado _____ (estuvo/estaba) ya bien ocupado con sus nuevas amigas, _____ (pensé/pensaba) que él se _____ (ha/había) desinteresado de mí. No sé cuántos chupitos Delgado _____ (ha/había) tomado al caer la noche, pero no _____ (estuvo/estaba) ebrio, aunque _____ (compartió/compartía) botella tras botella con todos sus nuevos amigos. _____ (fue/era) la verdadera vida de la fiesta.

Alrededor de las 22:00, mientras yo _____ (terminé/terminaba) un partido de ajedrez con un huésped menos festejón, Delgado se me _____ (acercó/acercaba) y me preguntó si yo me _____ (divertí/divertía) y le dije que sí. Se _____ (sentó/sentaba) a mi lado y me preguntó a qué me _____ (dediqué/dedicaba). Cuando le dije que _____ (fui/era) profesor de español y autor, me _____ (comentó/comentaba) que por eso yo _____ (hablé/hablaba) tan bien español. Luego, me preguntó que qué tal me _____ (gustó/gustaba/gustaría) ganar 50 000 dólares por mes. Le _____ (respondí/respondía) que jamás _____ (arriesgué/arriesgaba/arriesgara/arriesgaría) mi libertad por dinero, que no _____ (tuve/tenía) ganas de terminar en una cárcel mexicana. Se _____ (rio/reía) y dijo que no me _____ (pasó/pasaba/pasara/pasaría) nada, que él _____ (tuvo/tenía) todo el negocio establecido. Me dijo que con mi español e inglés yo no _____ (tuve/tenía/tuviera/tendría) ningún problema. Le dije que se _____ (imaginó/imaginaba/imaginara/imaginaría) que me _____ (interesó/interesaba) la oferta y luego le pregunté de qué se _____ (trató/trataba) su negocio. Es cuando _____ (agarró/agarraba) de su bolsillo un aparato pequeño y me lo

_____ (mostró/mostraba). Me preguntó si yo _____ (supe/sabía)

qué _____ (fue/era) y le dije que no. Me _____ (explicó/explicaba)

que _____ (fue/era) un tipo nuevo de cigarro electrónico, que _____

(fueron/eran) ilegales y que él _____ (mantuvo/mantenía) docenas de empleados en

diferentes regiones del país que _____ (movieron/movían) el producto, pero que le

_____ (faltó/faltaba) quien _____ (ocupó/ocupaba/ocupara) el

territorio de Michoacán, Colima, Jalisco y Nayarit, por la costa occidental. _____

(repetí/repetía) que no me _____ (interesó/interesaba) trabajar en nada ilícito, pero él

no _____ (estuvo/estaba) convencido. Me _____

(confesó/confesaba) que no _____ (ha/había) venido a Cancún para negociar, que

realmente _____ (ha/había) planeado unas vacaciones con su novia, pero ella

_____ (ha/había) roto con él hacía tres días. Me dijo que, en la mañana, él

_____ (partió/partiría) en *ferry* para Holbox, donde _____ (tuvo/tenía)

rentada una cabaña privada en el que él y yo _____ (pudimos/podríamos) hablar

de todos los detalles. Le dije que ya _____ (tuve/tenía/tendría) planes de salir

para Playa del Carmen en la mañana y luego reunirme con una amiga en Chetumal aquel viernes.

Por última vez, dije que él _____ (tuvo/tendría) que ir a Holbox sin mí, pero ese

no se _____ (rendía/rendiría). Me dijo que lo _____

(pensaba/pensara) un poco más, que esa oportunidad no _____

(volvió/volvía/volvería) a presentárseme. Me dijo que si yo _____

(estuve/estaba/estuviera/estaría) esperándolo enfrente de mi hostal a las 10:00 de la mañana,

_____ (significaba/significaría) un sí, y si no, él me _____

(deseó/deseaba) un buen viaje a Playa del Carmen. ¿A que no adivinas cuál rumbo escogí?

Actividad #295

Todas las oraciones siguientes contienen por lo menos un error, sea ortográfico, léxico o gramatical. Reescribe las oraciones corrigiendo todos los errores que identifiques. ¡Ojo! Cambiar alguna cosa de una palabra puede obligarte a cambiar otra cosa de otra palabra para que concuerden.

1. Me pidió si quería ir y se dije que no.

_____

2. Mi amiga me maneja al trabajo en martes y jueves.

_____

3. ¿Quieres reunirnos en el parque este sabado?

_____

4. Monté mi bici cerca la parque.

_____

5. Estabamos sentando en la mesa cuando tocaron el timbre.

_____

6. Puse mi chaqueta porque era ventoso.

_____

7. Mis amigos han habido los mismos problemas.

_____

8. He hablando con mi jefé y me dicho que puedo tomar mis vacaciones.

_____

9. Mi hija aplicado para tres universidads.

_____

10. Ellos no pudieron terminaron el proyecto porque de el apagón.

_____

Actividad #296

Lee el diálogo siguiente y disfruta de la reunión.

Martes, 13 de julio del verano pasado

Empleado – ¡Muy buenas noches, señor y señorita! ¿Una mesa para dos?

Pablo – Sí, por favor.

Yolanda – Esperen un momentito. ¿No son Nicolás y Talía allí en el centro?

Pablo – Tienes razón, Yoli. Disculpe, señor. ¿Nos pudiera dar esa mesa disponible allí en el centro, cerca de esa pareja? Es que son nuestros amigos.

Empleado – A su órdenes, señor.

Antes de que el empleado del restaurante pueda dirigirlos a su mesa, la puerta principal se abre y entran dos hombres...

Jaime – ¿Pablo? ¿Yoli? ¿Qué hacen aquí?

Yolanda – ¡Jaime! ¡Rafa! ¡Qué sorpresa! Estamos aquí para celebrar mi primera entrevista exitosa. ¿Y Uds., qué hacen aquí?

Rafael – ¡Felicitaciones, Yoli! Yo he invitado a Jaime a que me acompañe a España para conocer a mi familia, y hemos salido a celebrar.

Pablo – ¡Genial! ¿Por qué no celebran con nosotros? Nos van a sentar al lado de Nicolás y Talía.

Jaime – ¿Nicolás y Talía también están aquí? Ojalá que Patri estuviera. Sería toda una reunión.

Justo en ese momento, la puerta se abre de nuevo...

Patricia – ¿Alguien ha dicho mi nombre?

Jaime – ¡No me digas, Patri! Qué casualidad. Oh, y también está Isa. Hola. Déjenme adivinar: Uds. están celebrando algo.

Isabel – ¡Lo has acertado! Patri me consiguió un trabajo en el café donde ella trabaja. Empiezo en dos semanas.

Nicolás – ¡Bienvenidos, chicos! Talía los vio entrar y hemos colocado unas mesas juntas. Vengan, vamos a celebrar, que nuestro "Picasso" nos invita a todos ya que vendió por primera vez una de sus pinturas.

Jaime – Aaaaay, Nicolás, ¡Qué bromista eres!

Nicolás – Es en serio. Bueno, todo menos lo de invitarnos. Ja, ja, ja.

Todos – ¡Felicidades, Pablo!

El empleado dirige a todos a su mesa enorme donde Talía los recibe, y todos la pasan de maravilla.

Su historia no termina aquí...

Ni las líneas ni las estrofas están en orden. Reescribe este poema en orden para descifrar el mensaje.

Son muy felices juntos _____

No hay nadie más sensato _____

Pablo y Yolanda _____

Una pareja inseparable _____

Generosos y nada codos _____

Patricia y su gato _____

Pero dulces como miel _____

Que cuide sus asuntos _____

Son muy diferentes _____

Disfrutan sin demanda _____

Serán amigos todos _____

Talía y Nicolás _____

Comparten un afecto profundo _____

Coquetean sin compromiso _____

Se casarán quizás _____

Jaime y Rafael _____

Un verdadero paraíso _____

Hasta el fin del mundo _____

Pero no es muy probable _____

E igual de inteligentes _____

Reescribe las oraciones siguientes cambiando la voz pasiva por la voz activa. Si no hay sujeto escrito para la voz activa, por la naturaleza de la voz pasiva, tendrás que inventar uno lógico.

1. ¿Se merece un trofeo cada vez que se gana algo?

_____

2. La tapa y contratapa del libro fueron diseñadas por mi amigo Miguel.

_____

3. Todo el pueblo fue despertado por el tren de medianoche.

_____

4. El frasco de mermelada había sido abierto por alguien en el supermercado.

_____

5. Se me rompieron los pantalones cuando me puse en cuclillas.

_____

6. Esa montaña ha sido escalada por más de mil personas este año.

_____

7. La basura se recolecta cada viernes en mi vecindario.

_____

8. El retrete se me tapó y tuve que llamar al plomero.

_____

9. Los mosquitos fueron eliminados cuando los obreros rociaron la vegetación con pesticidas.

_____

10. La comida se calienta rápida y fácilmente en el microondas.

_____

Actividad #299

Para cada adjetivo o adverbio, propón un sinónimo *y* un antónimo.

	sinónimo	**antónimo**
1. enorme		
2. fortuito		
3. obsoleto		
4. temerosa		
5. disponible		
6. adecuadas		
7. tranquilos		
8. receloso		
9. plana		
10. brutal		
11. malévolos		
12. defraudadas		
13. emocionante		
14. apenas		
15. subjetivo		
16. individual		
17. actuales		
18. tosco		
19. distintos		
20. bárbaros		

Este poema NO está en orden. En la página siguiente, reescríbelo en orden para descifrar el mensaje.

Oda al español

Fingí mucho aquel año, nueva época escolar

No hay nada más evidente

Me abrió los ojos a cosas no familiares

He decidido hacerme un humilde autor

Qué divertido aprenderlos, aunque eran peculiares

Con "¿puedo ir al baño?" ya lo podía hablar

Explorar contigo es todo lo que intento

Para influir más que solo de tutor

Entre todo lo absurdo, nunca te miento

Cuánto emocionaba al comenzar

Adjetivos pospuestos y verbos irregulares

La pasión que desde siempre arde

Mi travesía no ha sido perfecta, pero no guardo remordimiento

De un idioma más bello que cualquier flor

"Me llamo Joaquín y me gusta dibujar"

Mis libros te los dejo con todo mi conocimiento

Las amé de todos modos y ahora me suenan súper normales

Ha convertido al alumno en docente

Y sin duda alguna, ha sido mi mejor labor

Treinta y pico años más tarde

Oda al español

Apuntes

Apuntes

Apuntes

About the Author

David Faulkner holds bachelor's and master's degrees in Spanish, with an emphasis in teaching, and has taught Spanish in every grade from fourth to the university level. He is passionate about the fundamentals of language, as well as interpersonal communication and personal expression, particularly where their practical application has a positive impact on people's lives.

Faulkner opened up about his childhood in his memoir, *Superheroes* (2015), and has since shifted his focus back to his true calling: teaching Spanish and inspiring others to practice it in their daily lives.

Faulkner enjoys spending time with his family, public speaking, traveling the world, and staying active. He is an idealist and a relentless dreamer, reveling in the happiness of pursuit. The *Al fin y al cabo* Spanish series is the follow-up to the *De cabo a rabo* Spanish series.

To schedule David Faulkner for a curriculum presentation to see how his Spanish guides could benefit your language program, or to hire him for private lessons or as a guest teacher at your school, please contact him through DavidFaulknerBooks.com. Visit SpanishfortheLoveofIt.com for additional curriculum support.

Flashforward
Publishing

Made in United States
North Haven, CT
02 October 2022

24856567R00183